ÉCLIPSE

Livre douze

sorcière

ÉCLIPSE

Cate Tiernan

Traduit de l'anglais par
Roxanne Berthold

Copyright © 2002 17th Street Productions, Alloy company
Titre original anglais : Sweep : Eclipse
Copyright © 2012 Éditions AdA Inc. pour la traduction française
Cette publication est publiée en accord avec Alloy Entertainment LLC, New York, NY

Éditeur : François Doucet
Traduction : Roxanne Berthold
Révision linguistique : Isabelle Veillette
Correction d'épreuves : Nancy Coulombe, Carine Paradis
Conception de la couverture : Matthieu Fortin
Photo de la couverture : © Thinkstock
Mise en pages : Sébastien Michaud
ISBN papier 978-2-89667-554-8
ISBN PDF numérique 978-2-89683-408-2
ISBN ePub 978-2-89683-409-9
Première impression : 2012
Dépôt légal : 2012
Bibliothèque et Archives nationales du Québec
Bibliothèque Nationale du Canada

Éditions AdA Inc.
1385, boul. Lionel-Boulet
Varennes, Québec, Canada, J3X 1P7
Téléphone : 450-929-0296
Télécopieur : 450-929-0220
www.ada-inc.com
info@ada-inc.com

Diffusion
Canada :   Éditions AdA Inc.
France :   D.G. Diffusion
                 Z.I. des Bogues
                 31750 Escalquens — France
                 Téléphone : 05.61.00.09.99
Suisse :   Transat — 23.42.77.40
Belgique :   D.G. Diffusion — 05.61.00.09.99

Imprimé au Canada

Participation de la SODEC. $\mathcal{SODEC}$

Nous reconnaissons l'aide financière du gouvernement du Canada par l'entremise du Programme d'aide au
développement de l'industrie de l'édition (PADIÉ) pour nos activités d'édition.
Gouvernement du Québec — Programme de crédit d'impôt pour l'édition de livres — Gestion SODEC.

**Catalogage avant publication de Bibliothèque et Archives nationales du Québec et Bibliothèque
et Archives Canada**

Tiernan, Cate
    Éclipse
    (Sorcière ; livre 12)
    Traduction de : Eclipse.
    Pour les jeunes de 12 ans et plus.
    ISBN 978-2-89667-554-8
    I. Berthold, Roxanne. II. Titre. III. Collection : Tiernan, Cate. Sorcière ; livre 12.
PZ23.T524Ec 2012   j813'.6   C2011-942762-1

À Stephanie Lane,
avec toute ma gratitude.

1

Morgan

«C'est alors que la main de Dieu a balayé les sorcières païennes, et leur village a été rasé et incendié. Je l'ai vu de mes yeux.»

— Susanna Garvey,
Cumberland, Angleterre
Extrait de : HISTORIQUE BREF
ET FAMILIER DE CUMBERLAND,
Thomas Franklinton, 1715

— Oh, je vous en prie, arrêtez ça. C'est dégoûtant, les ai-je taquinés.

Sur le seuil de la maison d'Ethan Sharp, Bree Warren et Robbie Gurevitch peinaient à se décoller de leur baiser-ventouse. Robbie a toussé légèrement.

— Hé, Morgan.

Il s'est tenu de côté en tentant d'adopter une attitude désinvolte, ce qui n'est pas si simple quand on est grisé et hors d'haleine. Voir Robbie et Bree, mes deux meilleurs amis d'enfance, dans une liaison romantique demeurait un peu étrange. Mais j'en étais heureuse.

— Quel sens de la minutie, sœur Marie Morgan, a dit Bree en glissant une main dans ses cheveux foncés luisants.

Mais elle m'a fait un grand sourire auquel j'ai répondu. Robbie a appuyé sur la sonnette de la maison d'Ethan.

Ethan a presque immédiatement ouvert la porte. Deux loulous nains jappaient et bondissaient autour de ses pieds.

— Couchés, a-t-il dit en les poussant doucement du pied tout en nous souriant. Entrez. Presque tout le monde est déjà là. Il ne manque que deux personnes. Couchés ! a-t-il répété. Brandy ! Kahlua ! Couchés ! OK. Je vous amène dans la chambre à coucher.

Nous sommes entrés dans la petite maison en briques de style ranch pour apercevoir Sharon Goodfine, la petite amie d'Ethan, occupée à pousser les meubles contre le mur. Ethan a disparu dans le couloir en claquant des doigts pour appeler les chiens à le suivre. Robbie est allé aider Sharon pendant que Bree et moi retirions nos manteaux pour les jeter sur le fauteuil où d'autres manteaux étaient empilés.

— Vous semblez bien vous entendre, ai-je dit d'un ton jovial.

— Ouais, a admis Bree. J'attends toujours le jour où il découvrira qui je suis réellement pour ensuite me plaquer là.

J'ai secoué la tête.

— Il t'aime depuis un bon moment et il t'a vue passer par bien des choses. Il en faudra beaucoup plus pour l'effrayer.

Bree a hoché la tête, et son regard a erré dans la pièce jusqu'à ce qu'il se fixe sur Robbie. J'ai survolé la pièce des yeux en prenant mentalement les présences pour le cercle. Nos cercles habituels du samedi soir avaient pris une nouvelle tournure dernièrement, parce que Hunter était parti au Canada. Il était revenu quelques jours plus tôt et m'avait fait subir des montagnes russes d'émotions en partageant deux nouvelles : la première était qu'il avait embrassé une autre femme au Canada (ce qui était déjà assez difficile à digérer) ; et la deuxième, qu'il avait trouvé un livre — un livre écrit par mon ancêtre — qui narrait la création de la vague sombre. Apprendre que mon âme sœur avait été attirée par une autre *et* que j'étais la descendante de la femme à l'origine d'une des forces les plus destructrices que l'on pouvait imaginer avait semé la dévastation et la confusion en moi. Je me sentais un peu mieux à présent ; plus confiante dans l'amour de Hunter et dans ma capacité à choisir d'exercer uniquement la magye blanche. Malgré tout, ces deux révélations continuaient de me tracasser.

Hunter serait là ce soir. Il n'y était pas encore, car j'aurais senti sa présence. Mes capteurs de sorcière à faible portée me l'auraient dit.

Vingt minutes plus tard, tous les membres de notre assemblée, Kithic, étaient réunis, à l'exception de la cousine de Hunter, Sky Eventide. Elle se trouvait en Angleterre, où elle se remettait d'une liaison romantique qui avait mal tourné, et j'étais incapable de ne pas jeter un coup d'œil vers la source de sa douleur, qui se trouvait de l'autre côté du cercle : Raven Meltzer. Comme d'habitude, Raven était vêtue pour attirer l'attention avec son corset en satin rouge datant des années 1940, pourvu de bonnets en cône et de jarretières, fixées à une paire de bas résille criblée de grands trous. Un pantalon de militaire, coupé en short, et des bottes de motard complétaient son ensemble.

— D'accord, tout le monde, a dit Hunter de son accent britannique qui me faisait chavirer. Commençons.

— C'est bon de te revoir, Hunter, a dit Jenna Ruiz.

— Ouais, bienvenue, a dit Simon Bakehouse, le petit ami de Jenna.

— C'est bon d'être de retour, a dit Hunter en croisant mon regard.

J'ai eu l'impression d'être frappée par une vague d'électricité statique.

Hunter Niall. L'amour de ma vie. Il était grand, mince, incroyablement blond et de deux ans mon aîné. En plus d'avoir cet accent britannique que j'aurais pu écouter toute la journée, il était brave, une sorcière de sang forte, et il en savait tant sur la Wicca qu'il m'était impossible d'imaginer le jour où je le rattraperais, malgré mon dévouement. Il était de retour après un voyage de deux semaines au Canada, où il avait retrouvé son père, Daniel. Et où il avait rencontré une femme du nom de Justine Courceau. Découvrir qu'il l'avait embrassée était une des choses les plus difficiles à encaisser pour moi. Je l'avais pardonné (j'étais sûre qu'il m'aimait et n'avait pas voulu me blesser), mais je ne pensais pas être capable d'oublier.

Le salon d'Ethan était couvert de tapis, alors Hunter a tracé un cercle parfait à l'aide d'une craie pour trottoir. Notre groupe de onze y est entré avant que Hunter ne le referme. Il a déposé des gobelets de cuivre aux pointes à l'est, au sud, à l'ouest et au nord. L'un contenait de la terre pour la symboliser. Un autre de l'eau, et une bougie brûlait dans le troisième : eau et feu. Le dernier gobelet contenait un cône d'encens fumant pour représenter l'air. Quand il a terminé les préparatifs, il a levé les yeux pour nous sourire.

— Avez-vous apprécié les cercles de Bethany Malone durant mon absence ?

— Elle était plutôt cool, a dit Raven.

— Elle était très gentille, d'une manière différente, a acquiescé Simon. Ta façon de préparer un cercle est différente de la sienne.

J'ai hoché la tête.

— C'est vrai. Et j'ai apprécié les trucs de guérison qu'elle nous a enseignés.

C'était peu dire. Je suivais à présent des cours privés auprès de Bethany ; des cours presque entièrement axés sur la guérison. Concentrer mes études de la Wicca sur la guérison semblait avoir aussi ramené l'équilibre dans ma vie.

— Bien, a dit Hunter. Peut-être pourrions-nous l'inviter à diriger notre cercle de temps à autre.

Certains d'entre nous ont fait un grand sourire pendant que Hunter continuait de parler.

— Dites-moi : y a-t-il des choses à régler avant de commencer ? Où nous réunissons-nous la semaine prochaine ?

— Nous pouvons tenir le cercle chez moi, a dit Thalia Cutter.

Ensuite, comme nous n'avions plus rien à régler au sujet de Kithic, Hunter a jeté notre cercle, l'a dédié à la Déesse et a demandé à Dieu et à la Déesse de nous entendre.

— À présent, soulevons notre pouvoir, a dit Hunter. Et pendant qu'il est élevé, nous songerons à la signification de la renaissance, du printemps, et à la façon dont nous pouvons nous efforcer, dans un sens, à recréer nos vies chaque printemps.

Nous avons joint les mains ; je me trouvais entre Matt Adler et Sharon. Cette fois-ci, Hunter a commencé par entonner un chant pour invoquer le pouvoir auquel nous avons uni notre voix au moment où nous nous sentions prêts. Les mots gaéliques anciens semblaient flotter au-dessus de nous pour tisser un cercle de pouvoir au-dessus de nos têtes. La voix de Hunter était forte et assurée, si bien qu'une minute plus tard, j'ai ressenti cette légèreté incroyable dans mon cœur qui m'annonçait que j'avais établi un lien avec la Déesse. Ce n'était pas comme si elle me parlait, mais quand j'établissais un lien véritable avec la magye, la magye qui existe en tout, mes inquiétudes se dissipaient. Une joie pure et absolue emplissait mon cœur et mon esprit, et je sentais une bouffée d'amour pour tous les membres de mon cercle (même pour moi) et pour ceux à l'extérieur de celui-ci. C'était ce lien qui rendait si nécessaire ma communion avec la magye. La magye représentait une question et une réponse, la raison et l'instinct, le besoin et l'épanouissement; tout ça à la fois.

Les mains jointes, nous avons décrit un cercle dans le sens des aiguilles d'une montre : nos pieds ont remué de plus en plus vite pendant que des sourires éclairaient nos visages. Renaissance, ai-je songé avec émerveillement. Recréer ma vie. Recommencer à neuf. L'accélération de la vie. Ces concepts étaient porteurs de promesses et d'espoir, et je savais que je les explorerais avec joie et excitation.

— Morgan.

Sans crier gare, mon père biologique, Ciaran MacEwan, se tenait devant moi. Mes mains se sont arrachées à celles de Matt et de Sharon, et mes pieds ont trébuché sur le tapis bleu.

Je l'ai fixé du regard, les yeux écarquillés par la peur et le choc. Le moment d'après, j'ai compris qu'il était une image devant moi et non pas une personne véritable. Mais il s'agissait d'une image complète et réaliste qui miroitait doucement, comme si elle chauffait.

— Morgan, a-t-il répété de son accent écossais.

Ses yeux brun noisette, exactement comme les miens, m'examinaient.

— Que veux-tu? ai-je murmuré.

Je ne voyais plus que lui; mon cercle, la pièce, mes amis s'étaient volatilisés pour être remplacés par l'image brillante de mon père; l'homme qui avait brûlé vive ma mère il y avait plus de seize ans.

— Je sais que tu as posé un sigil de surveillance sur moi, a-t-il dit d'une voix douce, et mon estomac s'est serré d'effroi. Mais je te pardonne.

La dernière fois que j'avais été en présence de Ciaran, nous nous étions métamorphosés. À la demande du Conseil, j'avais tracé un sigil de surveillance sur lui pour permettre à ses membres de suivre les mouvements de Ciaran et d'éventuellement le faire prisonnier. Je l'avais trahi, mais ce risque l'avait emporté sur celui qu'il représentait en demeurant libre. Mon père biologique était l'une des sorcières les plus maléfiques au monde. Il avait assassiné un grand nombre de gens, y compris ma mère biologique, Maeve Riordan, de même que son amant, qu'elle connaissait depuis l'enfance. J'avais choisi de trahir Ciaran. J'avais choisi le bien et non le mal.

— J'ai… démantelé le sigil de surveillance, a poursuivi Ciaran, et mes genoux ont presque fléchi. C'était un instrument magnifique, Morgan. Si subtil, si élégant, et pourtant si puissant.

Il a secoué la tête d'un air admiratif.

— Tes pouvoirs…

Oh Déesse, ai-je pensé, paniquée.

— Bien entendu, j'étais mécontent que tu choisisses de me trahir au profit des chacals du Conseil, a dit sèchement Ciaran. Ma propre fille. Mon élue. Mais je te pardonne. Et le sigil n'est plus là. Le Conseil n'a pas la moindre idée de mon emplacement.

Il a émis un gloussement qui l'a fait paraître plus jeune que ses quarante ans bien sonnés.

— Mais je viens à ta rencontre, ma fille. J'ai des questions à te poser.

Son image s'est rapidement effacée. J'ai cligné des yeux et j'ai eu l'impression qu'on avait soudain retiré le mur qui me servait d'appui. Pendant moins d'une seconde, j'ai remarqué les membres de Kithic qui me fixaient d'un regard préoccupé avant que tout devienne flou et que je me sente tomber.

— Ne bouge pas.

La voix rassurante de Hunter a freiné mes tentatives de m'asseoir. J'ai ouvert les yeux pour les refermer aussitôt : la lumière était beaucoup trop éclatante.

— Qu'est-il arrivé ? ai-je murmuré.

— J'espérais que tu me le dises, a dit Hunter.

Il a doucement soulevé ma tête pour la poser sur ses jambes croisées.

— Tu t'es soudain arrêtée durant notre chant pour invoquer le pouvoir et tu es devenue aussi blanche qu'un linge. Tu as dit : « Que veux-tu ? » en fixant le vide. Puis, tu t'es effondrée.

Tout d'un coup, ma mémoire est revenue, et j'en ai eu mal au cœur.

— C'était Ciaran, ai-je dit à voix basse en levant les yeux vers Hunter.

Au-dessus de moi, il a plissé ses yeux verts.

— Qu'est-il arrivé ? a-t-il demandé d'une voix presque féroce, mais je savais que sa colère ne m'était pas destinée.

Je me suis assise péniblement et j'ai ressenti une douleur aux coudes, là où j'avais dû me cogner. Les autres membres de l'assemblée s'étaient réunis autour de moi et m'observaient avec inquiétude. Puis, Bree s'est agenouillée devant moi pour me tendre un verre d'eau.

— Merci, ai-je dit avec reconnaissance.

J'ai pris le verre pour avaler de petites gorgées et je me suis sentie un peu plus forte.

— Qu'est-il arrivé? a demandé Bree à son tour avec de l'inquiétude dans ses yeux sombres.

— C'était Ciaran MacEwan, ai-je expliqué d'une voix plus forte. J'ai seulement… J'ai eu une vision soudaine de Ciaran. Puis, je me suis évanouie.

C'était là tout ce que je désirais partager avec tout le monde, et Hunter a dû le comprendre, car il a dit :

— Je pense que nous devrions nous en tenir là pour ce soir.

Il a glissé une main autour de mes épaules pour m'aider à me lever.

— Ce serait difficile de retrouver notre énergie, de toute manière.

En affichant toujours un air préoccupé, les membres de Kithic ont enfilé leurs manteaux.

— Aimerais-tu que je te suive jusque chez toi ? a demandé Robbie. Ou que je t'y conduise ?

Je lui ai adressé un sourire. Tout juste après Bree, Robbie était mon meilleur ami depuis la petite école.

— Non, merci, ai-je dit. Tout ira bien.

— Je vais m'assurer qu'elle rentre bien chez elle, a dit Hunter.

Nous avons fait nos au revoir à Ethan et à Sharon, qui a décidé de rester plus longtemps, avant de sortir dans la soirée froide de la fin de l'hiver. J'ai pris une grande inspiration de l'air humide de la nuit à la recherche des premières traces du printemps. Le changement de saison me ferait le plus grand bien : l'hiver avait été long et difficile.

Je me suis tenue près de ma grosse baleine blanche de voiture, Das Boot, avant de frotter mes bras. J'ai projeté mes sens, mais je n'ai rien détecté.

— Hunter, Ciaran m'a dit qu'il avait ôté le sigil de surveillance et qu'il savait que c'était moi qui l'avais posé sur lui.

— Bon sang, a soufflé Hunter.

— Ouais. Allons chez toi.

Je me sentais nerveuse, comme si mon père allait bondir sur moi depuis le buisson de houx, situé sur la propriété d'Ethan.

Hunter a acquiescé et m'a suivie avec sa voiture jusque chez lui. J'allais me sentir plus en sécurité là-bas, dans une maison de sorcières de sang ensorcelée, protégée et familière. J'ai pratiquement couru vers l'intérieur.

Le salon surchauffé me donnait l'impression d'être un refuge. J'ai automatiquement projeté mes sens de nouveau et j'ai senti la présence de Daniel Niall, le père de Hunter, dans la cuisine. Je me suis efforcée de cacher ma déception à Hunter. Jusqu'à il y avait trois semaines, Hunter n'avait pas vu ses parents depuis onze ans. Ils avaient fui Ciaran et son assemblée, Amyranth. Même si la mère de Hunter était morte avant qu'il ne puisse la revoir, son père était toujours vivant, et le danger semblait avoir disparu. Les choses s'étaient envenimées pour monsieur Niall au Canada, et le voyage de Hunter s'était soldé par son retour à la maison avec son père. Monsieur Niall occupait la chambre de Sky jusqu'à son retour. Si elle revenait un jour.

— Assieds-toi, a dit Hunter. Je vais te servir un thé.

Il s'est dirigé vers la cuisine et, bientôt, j'ai entendu des murmures.

En réalité, et j'étais incapable de m'en empêcher, je n'aimais pas monsieur Niall. J'avais été si enthousiaste à l'idée de rencontrer le père de Hunter, dont j'avais tant entendu parler et qui revêtait une si grande importance pour lui. Mais j'avais été choquée par son apparence. Il ressemblait à un itinérant : émacié et le teint pâle, les cheveux gris décoiffés, les yeux à moitié fous. Malgré tout, j'avais fait appel à mes bonnes manières et je lui avais souri et serré la main... et il avait réagi comme si j'étais un cadeau laissé sur le seuil par son chat. Il ne se montrait pas exactement méchant : simplement distant et réservé. Je n'étais pas impatiente de le revoir.

Hunter a bientôt été de retour près de moi.

— Bois ceci, a-t-il dit en me tendant un petit verre qui contenait une larme d'un liquide couleur de l'ambre.

Je l'ai reniflé.

— C'est du xérès, a-t-il expliqué. Une petite quantité. À des fins médicinales.

J'en ai pris une petite gorgée hésitante. La boisson n'a pas fait sonner mes cloches, mais après l'avoir toute avalée, je me suis sentie un peu plus au chaud et mieux en mesure de gérer tout cela. Puis, Hunter m'a tendu une tasse de thé, et j'ai senti qu'il y avait ajouté des herbes et l'avait ensorcelé afin qu'il me guérisse et m'apaise. C'était très pratique d'avoir une sorcière comme petit ami.

— Maintenant, a dit Hunter en s'assoyant à mes côtés sur le divan, si bien que je sentais la chaleur de sa jambe contre la mienne, raconte-moi tout.

Je me sentais plus en sécurité et moins paniquée, sans oublier que je prenais lentement conscience de la chaleur de son corps contre le mien, alors je lui ai raconté tout ce dont je me souvenais au sujet de ma vision.

— Bon sang, a répété Hunter.

La porte de la cuisine s'est ouverte, et Daniel Niall en est sorti en portant un sandwich dans une assiette. Il m'a aperçue sur le divan et a hoché la tête avec raideur.

— Allô, Monsieur Niall, ai-je dit d'un ton qui se voulait amical.

— Alors, qu'a-t-elle dit ? a demandé Hunter à son père.

D'un air froissé, monsieur Niall a marqué une pause au bas de l'escalier, comme si Hunter l'avait empêché de s'échapper en douce.

— Elle a dit qu'elle aimerait bien, a dit Daniel. Et elle aura bientôt un congé scolaire.

— Papa parlait à ma sœur, Alwyn, a expliqué Hunter. Nous aimerions qu'elle vienne nous rendre visite.

Je savais qu'Alwyn avait à présent seize ans et qu'elle était une sorcière initiée.

— Oh, ce serait génial, ai-je dit. J'aimerais la rencontrer.

Daniel a de nouveau hoché brièvement la tête avant de monter à l'étage. J'ai poussé un soupir, incertaine si je devais ou non faire part de mon malaise à Hunter. Monsieur Niall me traitait-il uniquement de cette façon parce que j'étais parente avec Ciaran? Je veux dire, j'étais *toujours* appréciée des parents. Je suis un génie en maths, je ne détonne pas, je ne bois pas, je ne consomme aucune drogue… Je suis toujours vierge, nom de Dieu! Pas que je souhaitais qu'on me le rappelle. Mais c'était tout comme si les mots «bibliothécaire en herbe» étaient tatoués sur mon front. Pour quelle autre raison monsieur Niall pouvait-il m'en vouloir?

— Il s'adapte mieux? ai-je demandé avec beaucoup de tact une fois qu'il a disparu à l'étage.

Hunter a haussé les épaules d'un air contrit.

— Plus ou moins. Il est surtout occupé à lire le journal de Rose.

Il faisait référence à Rose MacEwan, la sorcière à l'origine de la vague sombre : un sortilège incroyablement destructeur, capable d'anéantir un village au complet et tous ses habitants. Je n'avais pas été très heureuse d'apprendre qu'un membre de ma parenté avait créé une telle chose, mais elle avait le nom de famille de Ciaran, elle était une Woodbane... Ma famille : pas de doute. En songeant à elle, j'ai frissonné légèrement. Son histoire m'avait paru si réelle : j'étais capable de m'imaginer réagir de la même manière. J'étais effrayée de savoir qu'une destruction si inimaginable circulait dans mes veines.

De façon étrange, monsieur Niall avait découvert le journal de Rose au Canada, dans la maison de cette sorcière, Justine Courceau. Nous l'avions tous lu, puis monsieur Niall l'avait repris.

— Papa espère y trouver des indices afin de créer un sortilège qui permettrait de vaincre une vague sombre.

— J'ignorais que c'était possible. Déesse, ce serait incroyable de ne plus avoir à se soucier de la vague. J'espère qu'il réussira.

J'ai secoué la tête avec émerveillement.

— Écoute, a dit Hunter, peut-être pourrions-nous effectuer un présage maintenant pour voir si nous sommes en mesure de repérer Ciaran. T'en sens-tu capable ?

Gentiment, il a repoussé mes longs cheveux par-dessus mon épaule. Récemment, j'en avais fait couper environ quinze centimètres, si bien qu'ils tombaient à présent au milieu de mon dos.

— Ouais, ai-je affirmé en fronçant les sourcils. Peut-être que c'est une bonne idée. J'ai toujours l'impression qu'il va tomber du plafond comme une araignée.

J'ai suivi Hunter dans la grande pièce destinée aux cercles, située à côté de la salle à manger.

Dans une autre vie, la salle servant aux cercles avait été un salon double. À présent, elle était un long rectangle nu, parfumée par les herbes et les bougies. Elle contenait un poêle à bois, et, devant celui-ci, Hunter avait tracé un petit cercle sur le sol ; assez grand pour lui et moi. Nous nous sommes assis en tailleur dans celui-ci, face à face, genoux contre genoux. Des pensées filaient dans mon esprit pendant que Hunter sortait un morceau large et lisse d'agate noire : la pierre dont il se servait pour effectuer des présages.

Nous avons doucement posé chacun deux doigts sur les bordures de la pierre avant de fermer les yeux. Ce moment servait à vider notre esprit et à nous concentrer afin de nous ouvrir à ce que la pierre souhaitait dire. Mais je n'arrivais à penser à rien d'autre qu'à Ciaran qui revenait vers moi et à quel point il m'effrayait même si je me sentais étrangement attirée vers lui. Et Hunter… Il voulait la mort de Hunter. Hunter, qui était une magnifique mosaïque de contradictions : fort, mais d'une douceur infinie. Bon, mais aussi impitoyable lorsqu'il confrontait les pratiquants de la magye noire comme Cal Blaire et Selene Belltower. J'avais vu Hunter rougir de désir, mais aussi blanc de colère et de souffrance. Il était mon amour.

— Morgan ?

— Désolée, ai-je dit.

— Nous ne sommes pas obligés de faire ceci, a-t-il suggéré.

— Non, non. Je dois le faire.

J'ai refermé les yeux et, cette fois-ci, en repoussant avec détermination toutes mes autres pensées, j'ai plongé avec succès dans une profonde méditation. J'ai lentement rouvert les yeux pour apercevoir la surface lisse de l'agate noire sous mes doigts. J'ai doucement murmuré :

« *Montre-moi ce que je dois voir,*
Ce qui est arrivé ou ce qui doit se passer.
Le temps cessera de se mouvoir :
Montre-moi où je dois aller. »

Hunter a répété mes paroles dans un murmure, puis le silence est tombé pendant que je fixais la pierre des yeux. Les minutes ont passé, et pourtant, la surface de la pierre demeurait inchangée. C'était étrange. Les présages sont toujours imprévisibles, mais j'obtenais normalement de meilleurs résultats.

Consciemment, j'ai laissé mon esprit plonger plus profondément dans la méditation. Tout ce qui m'entourait a disparu alors que je me concentrais sur la pierre.

Ma respiration était lente et mesurée; ma poitrine se gonflait à peine. Je ne sentais plus mes doigts posés sur la pierre, mes fesses contre le sol dur, mes genoux qui touchaient ceux de Hunter.

La pierre était noire, vide. Ou... en l'observant de plus près, j'ai détecté les contours arrondis et dépouillés de... quoi ? Mon regard était si intensément rivé à la pierre que j'ai eu l'impression d'être tombée dans un puits d'agate noire, d'être entourée d'une obscurité froide et dure. Lentement, j'ai pris conscience d'un mouvement dans la pierre : j'obtenais un présage. Une vision de volutes de fumée noire et suffocante.

— L'obscurité *est* la vision, ai-je chuchoté. Aperçois-tu le nuage immense de fumée ?

— Pas de façon claire. Provient-il d'un incendie ?

J'ai secoué la tête.

— Je n'aperçois aucun incendie; seulement des volutes de fumée noire et suffocante.

Une image de ma mère biologique, tuée dans un incendie, m'est venue, et j'ai froncé les sourcils. Qu'est-ce que ça signifiait ? Était-ce une image de l'avenir ? M'était-elle destinée ? Cette vision signifiait-elle que j'allais subir le même sort que Maeve, aux mains de Ciaran ?

Pendant cinq autres minutes, j'ai fixé mon regard sur la fumée en l'intimant de se dissiper, de me montrer ce qu'elle cachait. Mais je n'ai rien vu de plus, et enfin, les yeux piquants, j'ai secoué la tête et me suis penchée vers l'arrière.

— J'ignore de quoi il s'agissait, ai-je dit à Hunter, frustrée. Je n'ai rien vu d'autre que de la fumée.

— C'était une vague sombre, a dit Hunter à voix basse.

— Quoi ?

Mon dos s'est raidi.

— Que veux-tu dire ? Était-ce la prédiction d'une vague sombre ? La vision semblait *me* concerner.

Je me suis levée. J'étais bouleversée.

— Est-ce qu'une vague sombre avance vers *moi* ?

— Nous ne pouvons pas en être certains… Tu sais que les présages sont imprévisibles, a dit Hunter, qui essayait de me réconforter.

— Ouais, et tu sais que presque toutes les images qui sont apparues dans mes présages sont devenues réalité, ai-je répondu en frictionnant mes bras.

Je me sentais nerveuse et effrayée, comme quand je jouais au Ouija, enfant, et que la plaquette se déplaçait seule.

— Je vais te suivre jusque chez toi, a dit Hunter, et j'ai hoché la tête.

Un autre inconvénient de la cohabitation de monsieur Niall et de Hunter était que nous n'avions plus d'intimité. Nous trouver seuls dans la chambre de Hunter quand Sky habitait avec lui était une chose, mais impossible pour moi de me sentir à l'aise en sachant son père dans l'autre pièce. J'ai enfilé mon manteau le vague à l'âme. Hunter et moi avions réellement besoin de moments seuls pour parler, être ensemble, nous serrer dans nos bras.

— Est-ce que ça ira chez toi? a-t-il demandé quand nous sommes sortis.

J'y ai réfléchi.

— Ouais. Ma maison est protégée jusque dans les moindres recoins.

— Malgré tout, je ne crois pas que ce serait une mauvaise idée d'y ajouter une couche de sortilèges.

Arrivés chez moi, même si nous étions tous deux épuisés, Hunter et moi avons fait le tour de la propriété pour ajouter des sortilèges de protection ou étoffer ceux déjà jetés sur ma maison, sur Das Boot et sur les voitures de mes parents. Quand nous avons eu terminé, je me sentais vidée.

— Rentre à l'intérieur, m'a dit Hunter. Va au lit. Ces sortilèges sont forts. Mais n'hésite pas à m'appeler si tu sens quoi que ce soit d'étrange.

J'ai souri et je me suis appuyée contre la porte d'entrée, exténuée. Je souhaitais gagner la sécurité de ma maison, mais j'hésitais aussi à quitter Hunter. Il s'est approché des marches, et je me suis réfugiée dans ses bras. J'ai posé la tête contre sa poitrine, émerveillée de voir comment, encore une fois, il avait semblé lire dans mon esprit.

— Tout ira bien, mon amour, a-t-il soufflé dans mes cheveux.

Une de ses mains solides caressait mon dos de façon apaisante pendant que l'autre me serrait contre lui.

J'en ai marre de tout ça, ai-je dit, soudain à deux doigts des larmes.

— Je sais. Nous n'avons eu droit à aucun répit. Écoute, pourquoi ne pas aller chez Magye pratique demain, pour voir Alyce ? Ce serait une activité agréable et normale.

J'ai souri devant sa conception d'une activité agréable et normale : deux sorcières de sang qui visitent une librairie occulte.

— Bonne idée, ai-je dit.

Puis, j'ai levé mon visage vers le sien pour me perdre immédiatement dans le plaisir grisant de l'embrasser ; de sentir ses lèvres chaudes sur les miens, l'air froid de la nuit autour de nous, nos corps blottis l'un contre l'autre, la magye crépiter. Oh oui, ai-je pensé. Oui. J'en veux plus.

— Qu'est-ce qui ne va pas ? ai-je demandé l'après-midi suivant.

Depuis que Hunter était venu me prendre, il semblait énervé et distrait.

Il a pianoté des doigts le volant.

— J'ai essayé de joindre le Conseil pour obtenir des nouvelles au sujet de Ciaran, a-t-il dit, mais j'ai été incapable de joindre qui que ce soit, ni Kennet ni Eoife. J'ai parlé à un subalterne quelconque qui a refusé de me dire quoi que ce soit.

Eoife était une sorcière qui avait tenté de me convaincre d'aller étudier aux côtés d'érudits wiccans dans les contrées sauvages de l'Écosse. Je lui avais dit que je devais d'abord terminer mon secondaire.

Kennet Muir était le mentor de Hunter au sein de l'Assemblée internationale des sorcières : il l'avait guidé durant les difficiles étapes pour devenir un investigateur. Hunter était toujours en contact avec lui en ce qui avait trait aux affaires du Conseil, mais leur relation avait subi un dommage permanent quand Hunter avait compris que Kennet avait su que ses parents se trouvaient au Canada, mais ne s'était pas donné la peine de le lui dire. Si Kennet en avait informé Hunter plus tôt, ce dernier aurait peut-être vu sa mère vivante. Je savais que c'était là une notion difficile à accepter pour lui. En fait, il était si blessé par la trahison de Kennet qu'il ne l'avait même pas confronté à ce sujet. « Les choses ne seront plus jamais les mêmes entre nous, de toute façon », avait-il raisonné.

— OK. Alors nous ne savons rien, ai-je dit en observant les champs et les vieilles fermes défiler dans le paysage.

Après des mois de grisaille hivernale, c'était encourageant de voir des teintes et des mouchetures de vert çà et là. Le printemps approchait. Malgré tout le reste.

— Non. Pas encore.

Hunter paraissait irrité. Puis, il a semblé faire l'effort de se montrer plus jovial. Il a tendu la main pour entrelacer ses doigts avec les miens, puis il m'a souri.

— C'est agréable de passer du temps avec toi. Tu m'as tant manqué quand j'étais au Canada.

— Tu m'as manqué aussi.

Je faisais de nouveau montre de mon talent pour les euphémismes. Puis, en prenant une respiration, j'ai choisi de soulever un sujet sensible.

— Hunter… je me questionne sur ton père. Ce que je veux dire est qu'il sait que je ne suis pas de connivence avec Ciaran, n'est-ce pas? Il sait que Ciaran a tenté de me tuer, n'est-ce pas?

Hunter a tiré sur le collet de son pull et a prétendu ne pas avoir compris.

— Il lui faut plus de temps : voilà tout.

Super. J'ai reporté mon attention vers le paysage.

— Est-ce en raison de Rose? ai-je demandé soudainement en me retournant vers Hunter. Est-ce parce que je suis la descendante de la sorcière à l'origine de la vague sombre? Ce que j'essaie de dire est que ton père a fui la vague sombre pendant onze ans.

Onze années durant lesquelles Hunter avait été séparé de ses parents et avait cru qu'ils les avaient abandonnés, lui, son frère et sa sœur. J'ai eu un serrement au ventre en me remémorant, encore une fois, le nombre de choses horribles accomplies par ma parenté.

Hunter m'a regardée à la dérobée en détournant les yeux de la route, et dans ce regard rapide, j'ai vu un monde de réconfort.

— Il doit simplement apprendre à te connaître, Morgan. Tu n'es pas tes ancêtres. Je le sais.

J'ai poussé un soupir en observant les branches nues des arbres qui défilaient au-dessus de nous. Si seulement j'arrivais à *m'en* convaincre.

Red Kill, la ville où se trouvait Magye pratique, est devenue visible à l'horizon, et les champs de fermier cédaient la place aux pelouses banlieusardes, puis à un plus grand nombre de rues et enfin à de véritables voisinages. Hunter a parcouru presque toute la rue principale, jusqu'au petit immeuble qui abritait Magye pratique. Il s'est garé, mais je n'ai pas bougé pour sortir de la voiture.

— C'est seulement que je veux que ton père m'aime bien, ai-je dit, très embarrassée. Et je ne veux pas me dresser entre vous deux. Je ne veux pas que tu sois obligé de choisir.

J'ai baissé les yeux sur mes mains, que je tordais nerveusement sur mes cuisses. Je les ai contraintes à s'immobiliser sur mon jean.

— Déesse, a marmonné Hunter en se penchant vers moi par-dessus le levier de vitesse.

Il a pris mon menton dans sa main pour plonger ses yeux dans les miens. Les siens avaient la couleur d'une olivine ; un vert profond et clair.

— Je n'aurai pas à choisir. Comme je t'ai dit, mon père a simplement besoin de plus de temps. Il sait à quel point je t'aime. Il doit simplement se faire à cette idée.

J'ai soupiré et hoché la tête. Hunter a brièvement effleuré ma joue, puis nous avons ouvert les portières pour sortir de la voiture et nous diriger vers la boutique.

— Morgan, Hunter! Quel plaisir de vous voir.

Alyce Fernbrake nous a envoyé la main depuis l'arrière de la boutique.

— Il y avait un moment que j'avais vu l'un ou l'autre d'entre vous. Hunter, parle-moi de ton voyage au Canada. Quelle nouvelle incroyable. Attendez un moment… je vais préparer du thé.

Nous nous sommes faufilés dans la boutique parfumée et pleine à craquer : mon foyer hors du foyer. Alyce est disparue dans la petite arrière-boutique, séparée du reste de la boutique par un rideau orange en loques. Son adjoint, Finn Foster, a hoché la tête avec réserve à l'intention de Hunter : nombreuses étaient les sorcières qui se méfiaient des investigateurs.

— Allô, Morgan, a-t-il dit. Est-ce que tu connais la nouvelle d'Alyce ? La boutique d'à côté déménage dans un lieu plus spacieux. Alyce va y emménager pour presque doubler la taille de Magye pratique.

J'ai haussé les sourcils.

— Le teinturier déménage? Mais qu'en est-il de la dette d'Alyce à Stuart Afton? Peut-elle se permettre de perdre ce loyer?

Alyce est revenue en portant trois tasses d'un air affairé.

— Eh bien, heureusement, mes affaires s'améliorent continuellement depuis quelques mois. Le marché immobilier connaît un tel essor que si j'emménage dans la boutique d'à côté, je pourrai louer cet espace pour pratiquement le prix versé par le teinturier. Et il ne nous restera plus qu'à croiser les doigts pour que la hausse de nos ventes comble l'écart. C'est un risque, mais je crois qu'il en vaudra la peine au bout du compte.

Elle nous a souri.

— Félicitations, a dit Hunter en prenant une tasse. Une plus grande boutique serait fantastique.

Alyce a hoché la tête d'un air ravi.

— Ça représentera beaucoup de boulot, a-t-elle dit, et j'ignore quand je disposerai du temps pour le faire, mais je pense que nos affaires peuvent soutenir la superficie supplémentaire. J'aimerais beaucoup étoffer mes stocks.

Elle a gesticulé du côté d'une pile d'environ cinq sacs à provisions remplis de livres d'aspect étrange.

— J'achète des trucs dans les braderies et les ventes-débarras; des objets qui m'intéressent, mais je n'ai pas l'espace nécessaire pour les étaler. Vous devriez voir tout ce que j'ai entreposé. Mais à présent, je veux avoir de vos nouvelles. C'est génial que ton père soit revenu vivre avec toi.

Hunter a hoché la tête, et ils se sont déplacé tous les deux vers le comptoir-caisse, où Alyce s'est assise sur un tabouret et Hunter s'est appuyé contre un présentoir lumineux. J'ai pris la direction des sacs de vieux livres pour y jeter un coup d'œil, persuadée que ça n'ennuierait pas Alyce. J'ai décidé de les trier pour elle et j'ai fait une pile pour les livres d'histoire et une pile pour ceux qui ne traitaient pas du surnaturel. Puis, dans le deuxième sac, j'ai trouvé certains livres sur la Wicca et sur l'historique des sabbats, des guides pour concocter des sortilèges, des grilles astrologiques. Hunter et Alyce étaient toujours occupés à bavarder, même s'ils étaient parfois interrompus quand Alyce venait en aide à un client. Finn réorganisait les tablettes d'huiles essentielles, et partout autour de moi flottaient des essences de girofle, de vanille et de rose.

Enfin, j'étais encerclée par des piles de livres, et dans le cinquième sac, j'ai trouvé quelques ouvrages anciens et intéressants sur la magye du temps et des animaux. Je suis aussi tombée sur quelques vieux Livres des ombres, écrits à la main et remplis de notes et de diagrammes. L'un d'entre eux paraissait très ancien : l'écriture était pointue et rédigée à la plume, et les pages avaient pris une teinte brun foncé avec le temps. Un autre livre semblait plus récent, mais aussi moins intéressant : il contenait moins de dessins, et de longues périodes s'étaient écoulées entre les entrées. J'ai découvert un autre Livre des ombres dont la couverture était verte. Il semblait très récent et plus romantique que les autres, mais je l'ai tout de même feuilleté. Il avait été rédigé par une sorcière durant les années 1970! Extraordinaire. La majorité des Livres des ombres aussi récents sont toujours entre les mains de leurs propriétaires. En trouver un était inhabituel, et j'ai entrepris de le lire.

— Morgan, tu viens? m'a demandé Hunter quelques minutes plus tard.

J'ai hoché la tête.

— J'ai trié tes livres, ai-je dit à Alyce en esquissant un geste vers les piles.

— Oh, comme c'est gentil! a-t-elle dit en joignant les mains.

Elle était plus petite que moi et possédait des courbes de femme. Elle était comme une version plus jeune d'une grand-mère de conte de fées, vêtue de gris, de lavande et de pourpre.

— Celui-ci est génial, ai-je dit en levant le livre dont j'avais commencé à lecture. Il date des années 1970. Est-ce que tu mettras ces bouquins en vente? Peut-être que je pourrais l'acheter.

— Oh, je t'en prie, a dit Alice en balayant ma suggestion des mains.

Prends-le : il est à toi. Considère-le comme un paiement pour avoir trié tous ces sacs.

— Merci, ai-je dit en souriant. Je l'apprécie. Merci beaucoup.

— Reviens bientôt, a-t-elle dit.

Dans la voiture, Hunter et moi nous sommes regardés. J'ai senti un léger sourire soulever mes lèvres.

— Je crois qu'il me faudra te convaincre de mon amour éternel, a dit Hunter d'un ton malicieux en lisant l'expression sur mon visage. Voyons voir. Je pourrais jeter un sort pour écrire ton nom dans les nuages. Ou je pourrais t'amener dans un bon resto... Ou nous pourrions aller chez moi pour nous embrasser sur mon lit. Tu sais, pour nous exercer avant le grand jour.

— Ton père est à la maison? ai-je demandé.

Hunter et moi désirions faire l'amour depuis un long moment; du moins, il me semblait que cela faisait un moment. Mais la dernière fois où l'occasion s'était présentée, juste avant son départ pour le Canada, Hunter avait décidé qu'il valait mieux attendre. C'était important pour nous deux que le moment soit parfait, mais impossible de savoir quand il se présenterait.

— Non. Aujourd'hui, il est chez Bethany, a dit Hunter. Elle l'aide à approfondir son travail de guérison.

Une lueur est apparue dans mes yeux.

— Oh oui! Allons chez toi!

2

Alisa

«La frontière entre le monde et les enfers est à la fois plus forte et plus faible que nos capacités d'entendement. Forte parce qu'elle n'est capable d'aucune brèche par elle-même, adviennent des tremblements de terre, des inondations ou la famine. Faible parce qu'une seule sorcière armée d'un sortilège peut la déchirer et permettre le passage de choses innommables.»

— Mariska Svenson,
Bodø, Norvège, 1873

— Il n'y a pas de soucis, Alisa, a dit mon amie Mary K. Rowlands lundi après-midi. Tu n'es pas un garçon. Tu peux entrer.

J'ai ri avant de la suivre dans le salon. Les deux parents de Mary K. travaillaient, et sa sœur, Morgan, et elle n'avaient pas la permission de recevoir des garçons à la maison quand ils étaient absents. C'était une exigence si drôle, pratiquement antique. Mais ses parents sont de fervents catholiques qui tiennent la laisse serrée autour de Mary K. et de Morgan.

— Allons dans la cuisine, a lancé Mary K. par-dessus son épaule.

— L'endroit où se trouve la bouffe, ai-je acquiescé.

Tout le décor de la maison des Rowlands semblait être resté figé en 1985. Le salon affichait du tartan vert aux accents marron. La cuisine aux couleurs bleu et rose cendré avait pour thème les bernaches. C'était ringard, mais étrangement confortable. À présent que ma belle-mère diabolique avait entrepris de refaire à la course la déco de la maison que je partageais avec papa, j'avais une appréciation réelle pour tout ce qui était familier.

J'ai déposé mon sac à main sur la table de Formica à motif grain de bois pendant que Mary K. s'agitait dans le réfrigérateur et le garde-manger. Elle en est ressortie avec deux bouteilles de boisson Frappuccino, quelques pommes et un grand sac de M&M's aux arachides.

J'ai hoché la tête en signe d'approbation.

— Je vois que tu t'es occupée des principaux groupes alimentaires.

Nous nous sommes attablées avec notre bouffe et nos manuels ouverts. Dernièrement, je me rendais chez Mary K. presque tous les après-midi après l'école (j'imagine que je voulais éviter de rentrer à la maison), et Mary K. était très chouette. Une bonne amie. Elle semblait si normale et plutôt rassurante, surtout en comparaison avec Morgan. Morgan avait fait un tas de choses étranges par le passé. Je n'étais toujours pas certaine quoi penser d'elle.

— Alisa? a dit Mary K. en enroulant une mèche de cheveux autour d'un doigt et en fronçant les sourcils devant son bouquin de maths. As-tu la moindre idée de la différence entre les nombres réels et les nombres naturels?

— Non, ai-je dit en avalant une gorgée de mon Frappuccino. Hé! Mark t'a invitée à sortir vendredi?

— Non, a-t-elle dit d'un air déçu.

Elle avait le béguin pour Mark Chambers depuis des semaines, mais bien qu'il se montrait très gentil envers elle, il ne semblait pas capter son signal à l'inviter à sortir.

— Mais nous ne sommes que lundi. Peut-être que je prendrai les devants s'il ne m'a toujours pas invitée jeudi.

— Vas-y, Mary K. Renverse le système, ai-je répondu en souriant pour l'encourager.

Puis, j'ai poussé un soupir en songeant à mes perspectives romantiques.

— Mon Dieu que j'aimerais avoir le béguin pour quelqu'un. Ou que quelqu'un s'intéresse à moi. N'importe quoi pour entrecouper la joie enivrante de la compagnie de papa et d'Hilary.

Mary K. a affiché une expression compatissante.

— Comment se porte Hilary la destructrice?

J'ai haussé les épaules dans un mouve-ment dramatique.

— Eh bien, elle est toujours parmi nous, ai-je signalé sèchement, et Mary K. a éclaté de rire.

La petite amie enceinte de mon père avait récemment emménagé chez nous, et sa silhouette s'arrondissait déjà avant même leur mariage. Je n'arrivais pas à croire que mon père collet monté et ultra conventionnel se soit laissé prendre dans ce cauchemar. J'avais l'impression de vivre avec deux étrangers.

— Mais elle a cessé de vomir : c'est déjà ça. Chaque fois que je l'entendais renvoyer, j'avais des haut-le-cœur.

— Peut-être que le bébé sera incroya-blement adorable, que tu seras une super grande sœur et que vous serez vraiment proches plus tard, a suggéré Mary K.

Elle était incapable de s'en empêcher : elle était née pour illuminer les autres de sa lumière. C'était là une des qualités que j'ap-préciais chez elle.

— Ouais, ai-je admis, *ou* peut-être que ce sera un garçon et que, quand on m'obligera à changer ses couches, il fera pipi tout droit sur mon visage.

— Oh, c'est dégueulasse, a crié Mary K., et nous avons ri toutes les deux. Alisa, c'est vraiment dégoûtant. Si jamais il fait une telle chose, ne m'en parle *pas*.

— De toute manière, ai-je dit en rigolant, je leur ai suggéré des noms. Alisa Junior si c'est une fille et Aliso si c'est un garçon.

Nous rigolions toujours de cette blague quand la porte arrière s'est ouverte pour laisser entrer Morgan. Elle a souri quand elle nous a aperçues et je me suis forcée à y répondre. Ce n'était pas exactement que je n'aimais pas Morgan. C'était surtout que je croyais qu'elle était quelque peu dangereuse, même si elle pouvait se montrer gentille et prévenante parfois. Morgan est une sorcière ; une vraie sorcière. Certains jeunes des environs le sont : ils se donnent le nom de sorcière de sang parce qu'ils sont nés de la sorte comme une autre personne naît avec des yeux bleus ou une peau à problèmes. Mary K. n'est pas une sorcière, car bien qu'elles soient sœurs, Morgan a été adoptée.

Morgan et d'autres jeunes de mon école (Mary K. est en secondaire 3, je suis en 4 et Morgan est en 5) font même partie d'une assemblée du nom de Kithic. J'avais assisté à des cercles de Kithic et je les avais trouvés si… incroyables. Spéciaux. Naturels, d'une certaine manière. Mais j'avais cessé d'y aller il y avait un moment, quand Morgan avait commencé à provoquer des choses effrayantes comme briser des objets sans même les toucher. Comme cette fille dans le roman *Carrie*. Et, une fois, je l'avais vue faire apparaître une énergie bleue qui crépitait dans sa main. Mary K. m'avait même dit (dans le plus grand des secrets) qu'elle croyait que Morgan avait effectué quelque chose de magyque quand la petite amie de leur tante s'était fendu le crâne à la patinoire. Mary K. avait dit que Paula semblait blessée grièvement et que tout le monde paniquait, mais que Morgan avait posé les mains sur elle et l'avait *réparée*. Je veux dire, n'est-ce pas effrayant? Ce n'est pas le genre de personne que je souhaite fréquenter.

— Les enfants, nous a saluées Morgan d'un hochement de tête snob.

Mais elle ne faisait que plaisanter, car Mary K. et elle s'entendaient très bien.

— Tu sais, Morgan, a dit Mary K. d'un air innocent, entre *toi* et moi, il y a la même différence d'âge qu'entre toi et *Hunter*. N'est-ce pas amusant?

Personne ne peut écarquiller les yeux et avoir l'air plus innocent que Mary K.

Morgan a laissé lourdement tomber son sac à dos sur la table de la cuisine tout en jetant un regard pernicieux à Mary K., puis elles ont éclaté de rire. J'aurais aimé avoir une sœur : pas une sœur de *quinze* ans ma benjamine, mais une vraie sœur ; une personne à qui je pourrais parler et avec qui je passerais du temps, et qui pourrait aussi s'allier à moi contre ma future marâtre.

— Vous étudiez? a demandé Morgan.

— Oui, a répondu Mary K., du moins, nous essayons.

Morgan a pris un Coke diète dans le réfrigérateur. Elle l'a débouché et a bu la boisson, appuyée contre le comptoir. Hilary avait banni les boissons gazeuses de la maison (nous devions tous manger des aliments plus sains), et je me suis surprise à observer Morgan avec envie. Je souhaitais presque boire un cola, simplement parce que j'en avais la possibilité, et ce, même si je détestais le Coke diète. Morgan a déposé sa cannette, s'est essuyé la bouche de sa manche avant de pousser un grand souffle. Elle avait eu sa dose.

— Tu sais, quand je te regarde faire ça, j'ai peur d'être... contaminée, d'une certaine façon, a fait remarquer Mary K., et Morgan a ri de nouveau.

— L'aliment naturel parfait, a-t-elle dit avant de sortir de la viande hachée du réfrigérateur et de prendre une poêle à frire.

Quand la porte du réfrigérateur s'est refermée, un petit chat gris est entré comme un éclair dans la pièce pour s'asseoir et se mettre à miauler.

— Il a entendu la porte du réfrigérateur, a dit Mary K.

— Hé, Dag, mon chéri, a dit Morgan avant de se pencher pour lui donner un petit morceau de viande hachée.

Le chaton a miaulé fort une autre fois avant de l'avaler tout rond en ronronnant bruyamment.

— Nous mangeons des tacos ? a demandé Mary K.

— Des burritos.

Morgan a ouvert l'emballage pour jeter la viande dans la poêle.

— Hilary la destructrice ne supporte pas l'odeur de la viande dernièrement, ai-je dit en sentant une mince et nouvelle couche d'agacement m'envelopper. Ou les aliments frits. Ou épicés. Ils la rendent malade. Il ne reste plus que trois aliments acceptables chez moi : le pain, le riz et les craquelins.

Morgan a hoché la tête avec la même compassion que Mary K.

— Tu es la bienvenue ici pour manger des aliments normaux quand tu voudras.

— Merci, ai-je dit. Alors, tu vas inviter Mark ou non ? ai-je demandé à Mary K.

— Je présume que oui, a répondu
Mary K.

— Il est mignon, a dit Morgan.

Elle a déposé une planche à découper
sur la table en tassant du coude son sac à
dos. Comme elle l'avait mal bouclé, quelques livres et cahiers en sont sortis. J'y ai
jeté un coup d'œil pendant qu'elle poussait
le sac pour déposer un morceau de fromage et une râpe sur la planche.

— Râpe le fromage, a-t-elle dit à
Mary K.

— Je fais mes devoirs, lui a fait remarquer Mary K.

— Tu parles de garçons mignons.
Râpe.

Les livres du sac à dos de Morgan atti-
raient mon regard. L'un d'entre eux était un
manuel de calcul avancé ; il y avait deux
cahiers spiralés couverts de gribouillis, et
un livre à la couverture verte, qui ressemblait à un journal démodé, dépassait sous
la pile.

— Oh, as-tu remarqué les crocus de
maman devant la maison ? a demandé
Morgan en se retroussant les manches.

Comme d'habitude, elle avait l'air de descendre tout droit des montagnes avec son chemisier à carreaux en flanelle, son jean élimé et ses bottes. Étrangement, ce look lui allait. Si je portais les mêmes habits, j'aurais l'air d'une camionneuse.

Mary K. a secoué la tête, affairée à râper le fromage.

— Qu'est-ce qu'ils ont?

— Ils meurent; en fait, ils sont morts, a dit Morgan.

Elle a tiré ses cheveux pour les tresser dans son dos et en fixer le bout à l'aide d'un élastique.

— Ils ont seulement éclos la semaine dernière, comme il a fait si froid. Les crocus étaient bien droits et les hyacinthes commençaient à montrer le bout du nez... À présent, il ne reste que des mottes brunes.

— Il n'y a pas eu de gel dernièrement? a demandé Mary K.

Morgan a secoué la tête.

— Maman va être déçue quand elle va les voir. Peut-être ont-ils une maladie.

Elle a entrepris de trancher de la laitue en longues lanières parfaites pour des burritos.

— Hummm, a dit Mary K.

Je n'écoutais cette conversation que d'une oreille, car j'étais incapable de détacher mes yeux des livres de Morgan. Pas exactement des livres. D'un livre. C'était effrayant, mais je mourais d'envie de savoir ce que le livre vert contenait. Je serais incapable de penser à quoi que ce soit d'autre tant que je ne le saurais pas. Je ne m'étais même pas aperçue que je tendais le bras vers celui-ci quand je me suis enfin rendu compte que Mary K. avait répété :

— Alisa? Alisa?

— Oh, quoi? Désolée, ai-je dit au moment où Morgan se retournait depuis la cuisinière.

— Je disais que si un garçon te plaisait, nous pourrions sortir tous les quatre, et alors, je ne serais pas aussi mal à l'aise d'inviter Mark, a-t-elle répété.

— Oh.

Mon cerveau a à peine enregistré ses paroles. Je ne pensais à rien d'autre qu'au livre vert. C'était quoi, mon *problème* ? J'ai tenté de me soustraire à mes pensées.

— Hum, eh bien, personne ne me plaît particulièrement. Et personne ne s'intéresse à moi, ai-je admis. Je veux dire, des *gens* m'aiment bien, mais aucun garçon en particulier.

Mary K. a froncé les sourcils.

— Pourquoi pas ? Tu es tellement mignonne.

J'ai ri. Je savais que je n'étais pas hideuse : mon père est d'origine hispanique, et j'ai hérité de ses yeux sombres et de sa peau olive. Ma mère était Anglaise, alors mes cheveux sont bruns avec des reflets de la couleur du miel. Mon apparence est différente, si on peut dire, mais je ne fais pas hurler les bébés à mon passage. Malgré tout, jusqu'à présent, ma quatrième année de secondaire à Widow's Vale avait été une faillite totale du côté des garçons.

— Je ne sais pas.

— Morgan, connais-tu des garçons, comme des amis de tes amis, qui auraient envie d'un rendez-vous ? a continué Mary K.

pendant que mes yeux voltigeaient de nouveau vers ce stupide livre vert.

De quoi s'agissait-il? Je voulais le
savoir. J'avais besoin de le savoir. J'ai secoué
la tête en silence en me demandant ce qui
se passait. Pourquoi est-ce que j'agissais
aussi bizarrement? On aurait dit que ce
livre vert fou envahissait mon esprit. Son
effet était-il temporaire ou allait-il per-
durer? Dans quelques années, allais-je
me retrouver dans une cellule capitonnée
quelque part à balbutier : «Livre vert, livre
vert, livre vert»? Il s'agissait probablement
d'un livre horrible de calcul avancé ou un
truc du genre.

— C'est un livre chouette, ai-je entendu
Morgan dire, et j'ai brusquement relevé
la tête pour apercevoir Mary K. et elle
m'observer.

J'ai tiré ma main vers moi quand j'ai
compris, embarrassée, que j'avais de nouveau avancé le bras vers le livre. Qu'est-ce
qui *m'arrivait*?

— C'est un Livre des ombres, a
expliqué Morgan en jetant un coup d'œil

à la dérobée vers Mary K., qui a paru ne pas faire attention à ce qu'elle disait. Je l'ai eu aujourd'hui, chez Magye pratique.

J'ai froncé les sourcils et j'ai posé les deux mains sur mes cuisses. De la magye. Alors, il s'agissait d'un livre de sorcière. Voilà le remède qu'il me fallait. J'avais déjà vécu suffisamment d'expériences bizarres avec les trucs magyques... et les sorcières.

— Oh zut! a lancé Morgan en se retournant, agacée. J'ai oublié le stupide sachet d'épices! Eh bien, je ne retournerai pas au magasin.

Pendant qu'elle fronçait les sourcils, la porte du réfrigérateur s'est ouverte. Un beurrier en verre, qui contenait du beurre, s'est écrasé sur le sol pour se briser en miettes. Nous l'avons toutes trois fixé des yeux.

— Est-ce que le beurrier était placé sur quelque chose d'autre? a demandé Mary K.

— Il était dans l'espace prévu pour le beurre, dans la porte, a répondu Morgan en fronçant les sourcils de plus belle.

J'ai bondi sur mes pieds presque sans m'en apercevoir. Oh mon Dieu, pas encore, ai-je songé pendant que l'horreur circulait dans mes veines. Morgan était simplement incapable de contrôler ses pouvoirs! Elle était un danger sur pattes! Il fallait que je m'éloigne d'elle. Je *détestais* ce genre de truc. D'accord, il ne s'agissait que d'un beurrier brisé, mais j'avais été témoin de bien pis. Qui pouvait dire ce qui allait se passer ensuite? Et si elle faisait voler des *couteaux* ou un truc du genre?

— Tu n'avais pas fermé la porte? a persisté Mary K.

Morgan a poussé un soupir avant de marcher sur la pointe des pieds vers le placard à balai pour prendre un balai et un porte-poussière. Morgan et un balai, ai-je pensé. Comme c'est approprié.

— Non, je l'ai fermée, a répondu Morgan d'un ton de ras-le-bol. J'ignore ce qui est arrivé.

Bien sûr. Et ma mère est la reine Elizabeth, ai-je pensé.

Morgan a regardé le beurrier brisé d'un air renfrogné, comme si elle était capable de le reconstruire par la pensée et de revenir dans le temps pour le réparer, comme dans les films. En fait, peut-être en était-elle capable. Je l'ignorais.

— Je n'ai pas..., a-t-elle commencé à dire avant de lever la tête. Hunter, a-t-elle dit.

Elle s'est essuyé les mains avec une serviette de cuisine avant de passer la porte en laissant en plan la viande hachée qui grésillait sur la cuisinière et un beurrier cassé (qu'*elle* avait brisé) sur le sol. L'instant d'après, nous avons entendu la porte d'entrée s'ouvrir et se refermer.

— Qu'est-ce qui se passe avec Hunter? ai-je demandé.

Mary K. a affiché un air de léger malaise en ramassant le beurre strié de morceaux de verre à l'aide d'une serviette en papier et en jetant le tout dans la poubelle.

— Hunter est ici, je présume.

— As-tu entendu sa voiture?

J'ignore même pourquoi je posais la question. Je savais la réponse. Il s'agissait de Morgan, de Morgan la sorcière, de Morgan et de ses pouvoirs bizarres. Elle avait entendu Hunter approcher avec ses oreilles de sorcière super puissantes.

Mary K. a haussé les épaules avant d'entreprendre de balayer le verre brisé. Je me suis levée pour éteindre le feu sous la poêle et remuer rapidement la viande. Sans même le vouloir, j'ai jeté un coup d'œil vers la table, où mes yeux ont été immédiatement attirés par le livre vert. Mais qu'est-ce qui m'attirait *tant* dans ce livre?

3

Morgan

« Le jeune Michael Orris se trouvait à la plage où il cueillait des algues pour le jardin. Il a levé les yeux et aperçu un rideau noir tomber sur la Terre, semblable à un coucher de soleil. Comme il n'était âgé que de six ans, il a pris peur et s'est caché derrière un rocher. Quand le soleil a percé les nuages, il a couru chez lui pour n'y trouver que des pierres brisées, toujours fumantes. Des années plus tard, j'ai appris qu'il n'était jamais passé par son initiation. Il ne voulait pas ressembler à une sorcière, jamais. »

— Peg Curran, Tullamore,
Irlande, 1937

— Tu n'as pas l'air tellement joyeux, ai-je dit en croisant les bras sur ma poitrine.

J'étais sortie de la maison sans manteau dès que j'avais senti la présence de Hunter.

Ce qui était arrivé avec le beurrier m'avait totalement désarçonnée : après tout, nous n'avions jamais trouvé la cause de tous ces incidents télékinésiques. Je craignais qu'il s'agisse peut-être d'un signe de Ciaran, tout simplement pour m'avertir qu'il me surveillait.

— Je suis contente que tu sois ici. Quelque chose d'étrange vient de se produire...

— Je reviens d'une réunion avec le Conseil, m'a interrompue Hunter, ce qui n'était pas dans ses habitudes. Kennet était en transit hier : voilà pourquoi je n'arrivais pas à le joindre. Les membres m'ont téléphoné ce matin.

— De quoi retournait la réunion? As-tu appris quoi que ce soit au sujet de Ciaran?

— Oui.

Hunter semblait crispé, comme un serpent enroulé, et je sentais des vagues chaudes de colère émaner de lui. Il a passé devant les crocus flétris de ma mère pour monter sur le porche.

— J'ai eu des nouvelles.

Il s'est avancé pour me prendre dans ses bras.

— Apparemment, Ciaran a défait le sigil de surveillance il y a deux semaines. Il a disparu depuis.

Je me suis soustraite à son étreinte pour le fixer du regard.

— Il y a deux semaines ? ai-je craché.

Oh, Déesse. Oh non. Il était possible que mon père soit caché sous ce porche *à l'instant même*. Je suis devenue raide de terreur. Il m'observait peut-être depuis près de *deux semaines* maintenant.

— Déesse, ai-je murmuré. Et le Conseil n'a pas partagé cette nouvelle parce que…

Il a secoué la tête d'un air dégoûté.

— Aucune bonne raison. Ils m'ont dit que cette information n'était partagée «qu'en cas de nécessité absolue». La raison pour laquelle ils ont cru que ni toi ni moi n'avions le droit de le savoir est un grand mystère. Je pense qu'ils sont simplement embarrassés qu'il ait filé entre leurs doigts encore une fois. De toute évidence, ils auraient dû le capturer avant maintenant pour lui ôter ses pouvoirs. Mais ils espéraient qu'il les mènerait à d'autres cellules d'Amyranth. Et maintenant, il a disparu.

Une vision de Ciaran à qui on ôtait les pouvoirs était troublante (j'avais déjà été témoin de cet acte, et c'était horrible). Mais la vision de Ciaran s'en prenant à moi avec tous ses pouvoirs, de Ciaran, qui était peut-être déjà à Widow's Vale *en ce moment même*, était bien, bien pis.

— Je n'arrive pas à y croire, ai-je dit en sentant la colère bouillir en moi comme de l'acide. Bon sang, pour qui se prennent-ils ? Je n'ai pas à savoir que mon propre père est libre ? Alors que je suis celle qui a posé le sigil de surveillance sur lui ?

Hunter a hoché la tête d'un air sévère.

— Tu n'as que trop raison. Je ne sais pas ce qu'ils font. Le Conseil n'a jamais été créé afin d'agir sans impunité. Ils semblent l'avoir oublié et avoir oublié qu'ils ont une responsabilité et une obligation devant les sorcières qu'ils représentent. Sans compter leurs collègues du Conseil.

— Je n'arrive pas à y croire, ai-je répété. Quels *imbéciles*. Ainsi, nous pouvons présumer que Ciaran se trouve quelque part dans les environs.

J'y ai réfléchi.

— Je n'ai rien capté, à l'exception de la vision.

— Moi non plus. Mais je pense que nous pouvons présumer qu'il viendra à tout le moins te parler, comme il l'a dit.

— Que devrions-nous faire ? Que vas-tu faire ?

— Nous devons nous montrer incroyablement vigilants et être sur nos gardes, a-t-il dit. Je vais demander au Conseil de prendre ses responsabilités pour une fois et de réellement passer à l'action. Entre-temps, ta maison et ta voiture sont protégées dans la mesure de notre pouvoir.

J'ai fermé les yeux. J'avais bien aimé Eoife, la sorcière du Conseil que je connaissais le mieux, mais j'étais outrée qu'ils aient tout bousillé sans prendre la peine de m'en parler. Ils devaient certainement savoir que je serais en danger. À quoi avaient-ils *pensé* ?

— Le Conseil..., a commencé Hunter avant de s'interrompre brusquement : il était clairement aussi bouleversé que moi. On dirait que l'Assemblée internationale tombe en ruines et que certaines factions agissent à l'insu et sans l'approbation des autres. Quand le Conseil a été fondé, des sorcières puissantes le dirigeaient. Aujourd'hui, toute l'organisation est dirigée, et mal dirigée, par une sorcière du nom de Cynthia Pratt. Elle semble n'avoir le contrôle sur rien.

— Génial. Que faisons-nous à présent ?

— Je ne sais pas, a-t-il admis. Je dois y réfléchir. Mais peut-être devrions-nous essayer d'effectuer un présage de nouveau, pour voir si nous pouvons détecter quoi que ce soit sur Ciaran.

Il a regardé par-dessus mon épaule.

— Puis-je entrer ?

Mes parents rentreraient bientôt du travail. Il fallait que je termine de préparer le dîner. J'ai jeté un coup d'œil à ma montre.

— J'ai peut-être dix minutes, maximum, ai-je dit. Mais si ma mère ou mon père rentrent plus tôt, tu devras sortir d'ici sans être vu.

Il a hoché la tête, et j'ai ouvert la porte en frappant pratiquement Alisa, qui sortait de chez moi. Elle m'a jeté un regard interloqué avant de serrer son sac à main plus près de sa poitrine. En un éclair, je me suis souvenue du beurrier brisé et j'ai poussé un soupir. D'après le regard d'Alisa, elle semblait croire que j'avais fait mon numéro du *Projet Blair*. Il était malheureux que ce type d'incident se produise quand elle était dans les parages.

— Allô, Alisa, a dit Hunter d'un ton absent en se tassant pour la laisser passer. J'espère que tu te sens mieux.

Alisa avait été hospitalisée environ un mois plus tôt en raison d'une espèce de grippe, mais elle semblait bien se porter à présent.

— Merci, a marmonné Alisa avant de nous dépasser en vitesse sur le porche pour filer dans les marches.

Je l'ai observée un moment, puis Hunter et moi sommes entrés dans la chaleur de ma maison.

Dans ma chambre, où les seuls mâles admis étaient mon père et Dagda, Hunter et moi nous sommes assis sur le tapis de fibres naturelles et nous avons allumé une bougie. Nous l'avons encerclée de pierres protectrices : agate, jade, malachite, pierre de lune, olivine, perle, tourmaline noire, un morceau de sel de gabelle et une topaze brun clair. Nous avons joint les mains, appuyé nos genoux et fixé nos yeux sur la bougie. Je savais que nous ne disposions que de quelques minutes, alors je me suis concentrée profondément et j'ai repoussé de façon impitoyable toute pensée sans rapport avec ce sujet. Ciaran, ai-je songé. Le pouvoir de Hunter s'est mêlé au mien, et ensemble, nous avons centré notre énergie sur la bougie.

La lueur de la bougie a rempli mes yeux jusqu'à ce que j'aie l'impression que toute la pièce brillait. Lentement, une silhouette noire a émergé dans la lumière. Mon cœur s'est emballé, et j'ai attendu de reconnaître le visage de Ciaran. Mais quand l'éclat s'est estompé légèrement, la vision a révélé une femme ou une fille (elle me faisait dos). Elle a levé un bras pour inscrire des sigils dans les airs. Je ne les reconnaissais pas. J'ai eu l'impression qu'elle effectuait de la magye, une magye puissante, mais j'ignorais de quel type. Qui es-tu? ai-je pensé. Pourquoi est-ce que je te vois? Comme si elle me répondait, la fille a commencé à se tourner pour me faire face. Mais avant que je puisse voir ses traits, une énorme vague de feu a déferlé sur elle. J'ai attendu de voir un corps tordu et carbonisé de l'autre côté de la vague, mais l'image a disparu avant que je puisse la voir, comme si quelqu'un avait éteint un projecteur de diapositives.

Je me suis rassise, déçue et confuse.

— Ce que j'ai vu n'avait aucun sens, a finalement dit Hunter en soufflant la bougie.

— Même chose pour moi, ai-je dit. Je n'ai pas vu Ciaran du tout… seulement une fille et un incendie.

— Qu'est-ce que ça signifie? a-t-il demandé, frustré, puis nous avons entendu quelqu'un cogner doucement contre la porte.

— Maman vient de se garer dans la cour, a dit Mary K. à voix basse.

J'ai rangé la bougie rapidement, et Hunter a enfilé son manteau. J'ai ouvert la porte de la chambre.

— Merci, ai-je dit à ma sœur.

Elle m'a lancé un regard qui en disait long.

— J'ai terminé le dîner pour toi. J'ai ramassé le verre brisé. Et maintenant, j'ai sauvé ton derrière en t'avertissant de l'arrivée de maman.

— Oh, Mary K., ai-je dit avec reconnaissance. Merci. Je t'en dois une.

— Il ne fait aucun doute, a-t-elle acquiescé, et je l'ai suivie au rez-de-chaussée.

— Sois prudente, ai-je entendu Hunter souffler doucement derrière moi, et j'ai hoché la tête.

Puis, maman est entrée dans le salon, et je me suis rendue dans la cuisine pour terminer le dîner, et peu après, papa est rentré. Je n'ai jamais entendu Hunter partir, mais une demi-heure plus tard, je me suis souvenue de regarder par la fenêtre et, bien entendu, sa voiture n'était plus là. Je me suis sentie incroyablement seule.

4

Alisa

« La question est de savoir si nous allons
tolérer des sorcières d'origines mixtes ou
venant de clans inconnus ? Des sorcières
dont la vision de la magye diffère de ce que
nous savons et ce que nous jugeons être la
vérité ? Pourquoi le devrions-nous ? Pourquoi
un ruisseau clair devrait-il permettre que de
la boue embrume son eau ? Et si nous choi-
sissons de conserver la pureté de nos lignées,
comment les autres clans s'y intégreront-ils ?
Impossible. »

— Clyda Rockpell, Albertswyth,
Pays de Galles, 1964

Et ça commence, ai-je pensé en fixant du
regard le livre vert, posé devant moi sur
mon lit. Voilà le commencement de ma

descente absolue et totale aux enfers. À présent, je suis une voleuse.

Je n'avais jamais rien volé de ma vie et pourtant, quand j'avais aperçu ce stupide livre vert de Morgan, ma jumelle maléfique avait pris le contrôle. Ma *stupide* jumelle maléfique. Nous n'étions que trois dans la cuisine. Si Morgan remarquait l'absence du livre, elle questionnerait Mary K. Mary K. n'en saurait rien, et par un processus éclair d'élimination, un nom surgirait : Alisa Soto. Alisa la klepto. La raison pour laquelle je les avais évitées toutes deux à l'école ce jour-là. Mais ni l'une ni l'autre n'avait agi bizarrement en ma présence, alors il était possible que Morgan ne se soit pas encore aperçu de la disparition du livre.

Pour l'heure, la seule chose qui jouait en ma faveur était que papa était au travail et que, bien sûr, Hilary devait être à son cours de yoga pour maman, comme c'était mardi. Chouette. Pas de témoin de mon crime.

C'était difficile — non, impossible — à expliquer. Mais quand j'ai aperçu ce livre tomber du sac à dos de Morgan, j'ai eu l'impression que c'était *mon* livre; un livre que j'avais perdu il y avait longtemps et que je retrouvais. Alors, je l'ai repris.

Au cas où Hilary rentrerait sans crier gare, j'ai verrouillé la porte de ma chambre. Je me sentais bizarre : peut-être qu'une partie de l'étrangeté de Morgan m'avait atteinte. J'avais presque l'impression de rêver, de m'observer faire quelque chose sans savoir pourquoi.

J'ai effleuré la couverture du livre et j'ai senti un très faible picotement. J'ai ouvert le livre pour voir d'abord un nom écrit à la main. J'ai écarquillé les yeux : Sarah Curtis, le nom de fille de ma mère !

— Oh mon Dieu, ai-je chuchoté sans en croire mes yeux.

Était-ce la raison pour laquelle j'avais été tant attirée par ce livre ?

J'ai commencé ma lecture. Il s'agissait d'un journal intime que Sarah avait commencé à tenir en 1968, quand elle avait quinze ans — mon âge. En retournant le livre, j'ai vu que la dernière entrée était datée de 1971. Je me suis adossée sur mes

oreillers et j'ai tiré la vieille couverture cro-
chetée à motif de fleurs de ma grand-mère
sur mes pieds. Depuis qu'Hilary avait
emménagé, le thermostat était réglé à « ère
de glace ».

Dès la première page, j'ai été complètement accrochée, mais le livre est devenu de
plus en plus étrange. Ma bouche s'est
ouverte, béate, à la deuxième page quand
j'ai lu que Sarah Curtis était originaire de
Gloucester, au Massachusetts, comme
maman. Combien de Curtis pouvaient résider
dans la même ville du Massachusetts ?
Peut-être un grand nombre. Peut-être que
les Curtis y habitaient depuis des générations et que le nom était commun. Mais si
ce n'était pas le cas, qu'est-ce que ça signifiait ? Était-il possible que je sois occupée à
lire le journal de *ma mère* ? C'était impossible ! J'avais pris ce livre à Morgan ! Des
frissons m'ont parcouru l'échine : Morgan
avait dit qu'il s'agissait d'un livre de sorcière. J'ai écarquillé les yeux encore plus
grands et ai senti une tension dans ma
nuque.

Samedi marque la bénédiction annuelle de la flotte. C'est drôle de voir qu'aujourd'hui encore, les gens se fient aux vieilles traditions. Maman dit que la bénédiction annuelle de la flotte perdure depuis plus de cent ans. Bien entendu, les catholiques dirigent le tout et donnent tout un spectacle. Mais je sais aussi que Ròiseal fait aussi sa part.

J'ai interrompu ma lecture un moment. Ròiseal ? J'avais déjà entendu parler de la bénédiction de la flotte : bon nombre de communautés de pêcheurs tiennent cet évènement chaque année. Le prêtre vient verser de l'eau bénite sur la proue des bateaux de pêche pour les protéger durant l'année et apporter de la chance aux pêcheurs.

Sam et moi nous sommes rendus chez Filbert aujourd'hui pour acheter des orangeades. Maman nous tuerait si elle l'apprenait. Maman est vraiment fana des grains entiers et des aliments naturels.

Elle croit que les saveurs artificielles suffisent à atténuer les sens et les aptitudes. Je n'ai jamais remarqué de différence.

Houla, ai-je pensé. Et moi qui croyais qu'Hilary était terrible avec son papier hygiénique organique. Il est vrai qu'elle pensait que les boissons gazeuses étaient néfastes, mais elle n'allait pas jusqu'à croire qu'elles atténuaient les sens. Un faible souvenir m'est revenu à propos de maman qui me racontait quelque chose; une histoire de son enfance. À savoir comme sa mère s'était montrée étrange sur certains sujets. Mais le souvenir était trop vague pour me permettre de me le remémorer. Peut-être étais-je confuse? Après tout, maman était morte quand j'avais trois ans. Il s'agissait *là* d'une coïncidence incroyable, cependant. *S'il* s'agit bien d'une coïncidence, a murmuré en moi une petite voix effrayée.

J'essaie encore de convaincre maman et papa de me permettre de fréquenter une université dans un autre État. Je me dis que je dispose encore de trois ans pour argumenter : qui sait ce qui arrivera ? Ils ne veulent tout simplement pas que je me mêle à des gens qui ne sont pas comme nous, comme si le fait de rencontrer suffisamment de gens différents ferait en sorte que je ne revienne jamais.

J'ai froncé les sourcils en me souvenant de papa qui me disait que les parents de maman ne voulaient pas qu'elle déménage pour se rendre à l'université. Oh, mon Dieu : qu'est-ce que tout ça signifiait ? Cela ne pouvait pas être une simple coïncidence. Mais comment était-ce possible ? Mon Dieu ! Comme hypnotisée, je me suis tournée vers le livre pour obtenir des réponses.

Les lilas sont en fleurs depuis deux semaines à présent. Leur fragrance flotte partout. Quand je sors, l'odeur humide du sel de la mer est recouverte par leur parfum magnifique et lourd. Les buissons

*de maman sont pleins d'abeilles en extase.
Chaque année, les lilas en fleurs me sortent
de mon cafard de nos hivers du nord-est.
Je sais que le temps chaud approche, que
l'été est presque là, que l'école sera bientôt
terminée.*

J'ai eu l'impression que ma gorge se serrait.
Un jour, j'avais ramené à la maison un bouquet de lilas de chez l'épicier, et papa l'avait
regardé et était devenu blême. Plus tard, il
m'avait dit qu'il s'agissait des fleurs préfé-
rées de maman, qu'elle avait choisi les
fleurs de lilas pour son bouquet de mariage
et qu'elles le rendaient toujours triste.
Alors, j'avais jeté les fleurs. *Oh, maman*, ai-je
pensé avec désespoir. *Que se passe-t-il ?*

*Pendant ce temps, mon idiot de frère, Sam,
tente toujours de remporter le titre du plus
grand emmerdeur du monde. La semaine
passée, il a échangé toutes les étiquettes de
cuivre des plantes du jardin, si bien que les
bettes portaient l'étiquette « carottes » et le*

maïs, celle des radis. Maman a presque fait une crise. Et par deux fois, il a pris mon vélo pour le ranger dans le belvédère. Quel cauchemar de le faire passer par la trappe tout en l'entendant rigoler dans sa chambre. Mais je vais me venger. Ce matin, j'ai cousu ensemble le bout de ses chaussettes. Insérez un rire diabolique ici.

J'ai ricané tout en sentant une vague de soulagement me parcourir. Dieu merci. Ce n'était pas maman. Cette Sarah Curtis avait un frère. Maman était fille unique, et papa m'a dit qu'au moment où il l'avait rencontrée, elle ne parlait plus à sa famille et qu'il ne l'avait jamais rencontrée. C'était si triste. Cela signifiait que j'avais grandi avec un seul grand-père et une seule grand-mère, et uniquement des cousins paternels. Personne du côté de maman. Mais bon Dieu, quel soulagement de lire que cette femme avait un frère. J'avais pratiquement tremblé d'effroi au sujet de la sorcière Sarah Curtis.

Je dois y aller. Je dois m'exercer à effectuer le rite de la pleine lune qu'il me faudra réaliser à l'occasion de Litha.

J'ai tourné la page.

OK. Je suis de retour. Maman est dans la cuisine, occupée à concocter un thé guérisseur pour tante Jess. Son amygdalite s'empire. Je n'arrive pas à croire qu'il y a de l'école demain. Je consulte sans cesse le calendrier : plus que trois semaines avant Litha. Litha et l'été. Maman et moi travaillons sur des sortilèges de fertilité depuis deux mois. En gros, l'objectif est de veiller au bien de tous les êtres terrestres et marins afin qu'ils se multiplient. Un sortilège tout usage typique des Rowanwand. Je suis si impatiente. Lors de Litha, tous les membres de Ròiseal seront là, et je jetterai mon premier grand sortilège en public depuis mon initiation à l'occasion de la dernière fête de Samhain.

D'un seul coup, toutes les sensations de peur et de nervosité sont revenues. Cela ne *pouvait pas* être ma mère : je le savais. Mais quelqu'un qui portait le nom de ma mère avait rédigé ce livre. Je l'ai déposé de mes mains tremblantes.

Elle était originaire de Gloucester, au Massachusetts. Comme maman.

Comme maman, elle avait aimé le lilas. C'était trop étrange, trop similaire.

Mais certains éléments ne collaient pas : son frère, Sam. Le fait que *cette* Sarah Curtis ait été une *sorcière* Rowanwand.

Crash ! J'ai bondi de près d'un mètre dans les airs. Mon coffre à bijoux en bois était tombé de ma commode et était étalé sur le côté, sur le sol. Comment *cela* s'était-il produit ?

Tout ceci était fou. J'ai fermé le livre sans marquer ma page et me suis dirigée vers mon coffre à bijoux. Il s'agissait d'un des rares objets en ma possession ayant appartenu à maman. Je l'ai ramassé et l'ai tenu dans mes bras.

Cette Sarah Curtis avait été une sorcière.

Maman n'avait pas été une sorcière. J'ai fouillé dans mes souvenirs brumeux et clairsemés. Maman qui sentait le lilas. Son sourire, ses cheveux brun clair, son rire, la façon dont je me sentais quand elle me tenait dans ses bras. Rien en elle n'annonçait « sorcière ». Je ne me souvenais d'aucun sortilège ou chant ou cercle ou même de bougies. Il existait deux Sarah Curtis. L'une d'entre elles avait été une sorcière. L'autre avait été ma maman. Seulement ma maman.

J'ai posé le coffre à bijoux sur mon lit, l'ai ouvert et ai jeté tout son contenu sur mon édredon. Mes doigts ont effleuré les faux bijoux, les badges niais que j'avais collectionnés, le bracelet porte-bonheur auquel mon père ajoutait des breloques depuis que j'avais six ans. Le coffre contenait aussi quelques-uns des bijoux de maman : sa bague de fiançailles sertie d'un minuscule saphir, des boucles d'oreille en perles et même un bracelet de cheville muni de petites cloches.

J'ai regardé le coffre vide comme s'il allait me rassurer d'une manière ou de

l'autre. Rien de tout ça ne pouvait être réel.
Il devait y avoir une explication quelconque. Une explication n'ayant rien à voir
avec la sorcellerie. Maman n'avait *même pas*
de frère.

Ouvre-moi.

Je n'avais pas entendu ces mots : je les
avais sentis. J'ai baissé les yeux sur le coffre
comme s'il s'était transformé en serpent.
Ceci me donnait la chair de poule. Mais, de
façon irrésistible, j'ai retourné le coffre. Je
l'ai secoué, mais rien d'autre n'en est tombé.
Je l'ai ouvert et fermé à quelques reprises, à
la recherche d'un autre loquet, d'une char-
nière cachée. Rien. J'ai glissé mes doigts le
long du couvercle, à l'intérieur du coffre, et
sur les côtés. Rien. Le coffre était muni d'un
petit plateau que j'avais jeté sur le lit. Le
fond du coffre était couvert d'un coussin de
satin rose. J'ai appuyé dessus sans y déceler
aucun creux ou bosse. Je m'imaginais des
choses.

Puis, j'ai aperçu une boucle de fil rose
pâle qui dépassait d'un côté du coussin. J'y
ai glissé un doigt pour tirer doucement, et
le coussin a atterri dans ma main. Sous le

coussin se trouvait le fond en bois du coffre. Mais d'un côté, il y avait un minuscule mentonnet, terni et presque invisible. Je l'ai touché d'un ongle, mais il ne s'est rien passé. J'ai retourné le coffre et l'ai posé sur ma cuisse avant de pousser de nouveau sur le mentonnet.

Il y a eu un petit déclic et le fond du coffre s'est soulevé comme un ressort. À présent, je fixais des yeux une pile de vieilles lettres jaunies, enliassées à l'aide d'un ruban vert délavé.

Le ruban était en loques et il s'est pratiquement défait de lui-même dans mes mains. Les lettres étaient écrites sur un tas de papiers différents : feuillets mobiles, papier à lettres, papier à imprimante. J'en ai pris une et l'ai dépliée en ayant l'impression d'observer quelqu'un d'autre poser ce geste. Au rez-de-chaussée, j'ai entendu la porte d'entrée claquer, mais je l'ai ignorée et j'ai commencé ma lecture.

Chère Sarah,

Je suis si heureux que tu m'aies finalement écrit. Je n'arrive pas à croire que tu sois partie depuis déjà six longs mois. J'ai l'impression que des années sont passées. Après ton départ, tout était horrible, et à présent, personne ne mentionne ton nom. C'est tout comme si tu étais morte, et ça me rend si triste, tout le temps. Je suis heureux d'apprendre que tu vas bien. J'ai ouvert une boîte postale à North Heights afin que tu puisses m'écrire. Je sais que maman et papa perdraient la boule s'ils voyaient une lettre de ta part.

Je dois y aller. Je te récrirai bientôt. Prends soin de toi.

Ton frère, Sam.

Toc, toc. J'ai sursauté quand on a cogné à ma porte.

— Allie?

Oh mon *Dieu*. Pas Hilary. Pas maintenant. Combien de fois lui avais-je dit que je détestais qu'on m'appelle Allie? Un millier de fois? Davantage?

— Ouais?

— Je suis rentrée.

Je l'avais deviné, ai-je pensé, puisque tu me parles.

— OK, ai-je répondu.

— Veux-tu une collation ? J'ai des fruits secs. Ou peut-être un yogourt ?

— Oh, non merci, Hilary. Je n'ai pas tellement faim.

Une pause.

— Tu ne dois pas passer trop de temps sans manger, a-t-elle dit, sans quoi tu auras une baisse de glycémie.

J'avais envie de hurler. Pourquoi étais-je prise dans cette conversation ? Mon passé se défaisait devant mes yeux, et elle me parlait de ma foutue glycémie !

— Tout va *bien*, ai-je dit, consciente de l'agacement qui pointait dans ma voix. Je me charge de ma glycémie.

Silence. Puis, des pas qui s'éloignent dans le couloir. J'ai poussé un soupir. Il ne faisait aucun doute que j'allais en entendre parler plus tard. Pour une raison que j'ignorais, ni Hilary ni papa ne semblaient comprendre pourquoi je n'arrivais pas à me faire à l'idée que sa petite amie de vingt-cinq ans enceinte habite avec nous.

J'ai fouillé dans les lettres pour en piger une autre au hasard.

Chère Sarah,

Je suis désolé de ne pas avoir assisté à ton mariage. Tu sais bien qu'octobre est le mois où nous sommes le plus occupés. Je me dois d'être honnête : tu es ma sœur et je t'aime, mais je ne peux m'empêcher d'être déçu que tu aies épousé un étranger. Je sais que tu as tourné le dos à la magye, mais es-tu capable de tourner le dos à tout ton héritage ? Et si, par miracle, tu avais un enfant avec cet étranger ? Pourrais-tu supporter de ne pas l'élever dans la tradition des Rowanwand ? Je ne comprends pas.

Quelques autres paragraphes, puis la signature de Sam.

J'avais chaud et j'étais étourdie. La vérité continuait d'essayer de se frayer un chemin vers ma conscience, mais je la repoussais. Je devais lire une autre lettre.

Chère Sarah,

Je bénis ta bonne nouvelle. Depuis que tu es partie au Texas, je m'inquiète à ton sujet. Cela me semble si loin. J'espère que ma nouvelle nièce, Alisa, et toi serez heureuses là-bas. Papa a été malade de nouveau ce printemps – son cœur –, mais personne ne croit que ce soit aussi grave qu'il y a deux ans. Je te tiendrai au courant.

La lettre m'a glissé des doigts comme un papillon disgracieux. Oh mon Dieu. Oh mon Dieu. J'ai avalé ma salive de façon convulsive en appuyant une main sur ma bouche. J'étais née au Texas. Mon nom était Alisa. La réalité m'a percutée comme un brisant sur la rive, et comme une coquille, j'ai eu l'impression de culbuter et d'être arrachée à la terre.

Moi, Alisa Soto, j'étais la fille d'une sorcière et d'un humain. J'étais une demi-sorcière. Une demi-*sorcière*. Tout ce que j'avais toujours cru au sujet de ma mère pendant toute ma vie avait été un *mensonge*.

Un sanglot rauque s'est échappé de ma gorge, et, rapidement, je me suis enfoui le visage dans un oreiller. Tout ce que j'avais su à *mon* sujet pendant toute ma vie était aussi un mensonge. *Tout* était un mensonge, et rien n'avait de sens. Soudain furieuse, j'ai soulevé le satané coffre de sorcière et je l'ai jeté de toutes mes forces dans la pièce. Il a percuté un mur et s'est fracassé en des dizaines de morceaux pointus. Comme mon cœur.

— Est-ce que ça va, ma chérie?

La voix de mon père était hésitante, inquiète.

Je vais bien, papa. À l'exception du fait que tu as épousé une *sorcière*, ce qui signifie que *j'ai* du sang de sorcière en moi, comme les gens qui *me font paniquer*.

— Puis-je entrer?

Bien entendu, la porte était verrouillée, mais à l'aide d'un verrou de rien du tout et parfaitement inutile, qui s'ouvrait à l'aide d'une petite clé de métal en une seconde. Papa s'est prémuni de ses droits parentaux pour déverrouiller la porte et entrer.

J'étais roulée en boule sur le lit, sous mes couvertures, et la couverture de ma grand-mère était massée autour de mon cou. J'avais froid, j'étais misérable et je n'étais pas descendue pour le dîner : un ragoût aux pois chiches. Comme si je ne me sentais pas déjà assez mal.

Le chaos avait régné dans mon cerveau tout l'après-midi. Papa ne devait pas savoir que maman était une sorcière. Je crois qu'elle le lui avait caché (et qui pouvait la blâmer ?) et qu'il ne s'en était jamais rendu compte. Il n'avait jamais été ravi que je participe aux cercles de Kithic, mais il ne s'était jamais montré paranoïaque. Il aurait certainement dit quelque chose s'il avait su que maman était une sorcière.

— Je t'ai apporté de la soupe, a-t-il dit en cherchant un endroit où poser le plateau.

— Ne me dis rien : soupe au tofu avec des légumes organiques qui ont volontiers donné leur vie pour le bien de tous.

Pourquoi ne pas étaler la misère ?

Il m'a jeté un regard avant de déposer le plateau au pied de mon lit.

— De la soupe poulet et nouilles de Campbell, a-t-il dit sèchement. J'en ai trouvé une conserve dans le garde-manger. Ce n'est même pas la gamme de soupes saines.

J'ai reniflé avec méfiance. De la vraie soupe. Soudain, j'avais un peu faim. Je me suis assise pour tremper un petit biscuit salé (bon, d'accord, il était à grains entiers) dans la soupe et le manger.

— Qu'est-ce qui ne va pas, chérie ? a demandé papa. Penses-tu que tu retombes malade ? Comme le mois dernier ?

Si seulement c'était ça. C'était bien pis. Soudain, des larmes ont roulé sur mes joues pour tomber dans mon bol.

— Tout va bien, ai-je dit de façon convaincante.

Snif, snif.

— Hilary a dit que tu semblais vexée quand elle est rentrée.

Traduction : tu t'es comportée comme une chipie encore une fois, n'est-ce pas ?

Je ne savais pas quoi lui dire. Une partie de moi voulait lâcher le morceau, montrer les lettres à papa, me confier à lui. Une autre partie de moi ne voulait pas ruiner les souvenirs qu'il avait de maman. Et une *autre* partie de moi ne voulait pas qu'il me regarde pour le reste de mes jours en songeant « sorcière », ce qui serait résolument le cas une fois qu'il aurait lu les lettres et compris ce qu'étaient les sorcières de sang. Mes épaules ont secoué sans bruit pendant que je trempais un autre craquelin dans la soupe pour tenter de le manger.

— Ma chérie, si tu es incapable de m'en parler, peut-être qu'Hilary... Je veux dire, s'il s'agit d'un truc de filles...

Comme si ça allait arriver. Mon craquelin ramolli s'est brisé dans la soupe et a commencé à se désagréger.

— Ou à moi. Tu peux tout me dire, a-t-il dit de façon maladroite.

J'aurais aimé qu'au moins l'un d'entre nous croie qu'il s'agissait de la vérité.

— Je veux dire, je ne suis qu'un vieil homme, mais j'en sais beaucoup.

— Ce n'est pas vrai, ai-je dit sans le vouloir. Il y a beaucoup de choses que tu ignores.

Je me suis remise à pleurer en songeant à maman et au fait que toute mon enfance avait été un mensonge.

— Alors, parle-moi.

Mes sanglots ont redoublé. Impossible pour moi de lui parler de ceci. C'était tout comme si j'avais passé les quinze dernières années à être une personne pour soudain découvrir que j'étais une personne complètement différente. Tout mon monde s'effondrait.

— Je ne peux pas. Laisse-moi seule, je t'en prie.

Il est demeuré assis quelques minutes de plus sans trouver de plan pour tout régler soudainement, qui compenserait le fait que nous n'étions pas très proches, le fait que je n'avais pas de maman, le fait qu'il allait épouser Hilary le mois prochain. Après un moment, j'ai senti son poids quitter mon lit, puis la porte s'est fermée derrière lui. Si seulement j'étais *capable* de lui parler, ai-je pensé lamentablement. Si seulement je pouvais parler à quiconque. Quiconque pouvant comprendre.

Puis, j'ai songé à Morgan.

— Morgan ? l'ai-je appelée mercredi matin.

J'avais rôdé dans le terrain de stationnement à attendre que Mary K. et elle arrivent. Mary K. était sortie de la voiture, adorable et fraîche comme la rosée, comme d'habitude. J'avais attendu qu'elle se dirige vers ses autres amis, puis Morgan s'était extirpée avec lassitude de son énorme voiture blanche, et je l'avais appelée. J'avais déjà vu Morgan le matin et je n'étais pas certaine que c'était une bonne idée de lui parler aussi tôt. Aujourd'hui, en plus de projeter son aura habituelle de personne non matinale, elle semblait avoir la mine défaite, comme si elle n'avait pas dormi.

Elle a tourné la tête, et je me suis avancée vers elle en agitant la main. J'ai décelé une vague surprise dans ses yeux ; elle savait que j'essayais parfois de l'éviter. Quand je me suis rapprochée, je me suis aperçue qu'elle essayait de vider le contenu d'une petite bouteille de jus d'orange avant la cloche. Hilary serait heureuse de savoir qu'au moins, Morgan portait attention à sa glycémie.

— Hé, Alisa, a dit Morgan. Mary K. est partie dans cette direction.

Elle a pointé du doigt l'immeuble principal de l'école de Widow's Vale, puis elle a survolé les environs du regard, comme pour s'assurer qu'elle était bien à l'école.

— Euh, OK. Mais en fait, c'est à *toi* que je voulais parler, ai-je dit rapidement.

Elle a bu son jus à grand bruit.

— Est-ce que ça va ? n'ai-je pu m'empêcher de demander.

Elle a hoché la tête avant d'essuyer ses lèvres avec la manche de son manteau.

— Ouais. C'est seulement que... je n'ai pas très bien dormi la nuit dernière. Peut-être que j'ai attrapé un virus quelconque.

Elle a jeté un autre coup d'œil à la dérobée, et je me suis demandé si elle devait rencontrer quelqu'un.

— Eh bien, je dois te dire... j'ai pris ton livre lundi.

Voilà. C'était dit.

Elle m'a jeté un regard vide.

— Ton livre vert. Celui que tu avais dans ton sac lundi. Eh bien, je l'ai pris.

Morgan a plissé les sourcils : les rouages rouillés de son cerveau se mettaient lentement en marche en grinçant à mesure que le jus d'orange circulait dans son système. Elle a jeté un coup d'œil par-dessus son épaule à son sac à dos (la scène du crime) comme si des indices s'y trouvaient toujours.

— Oh, ce livre vert ? Le Livre des ombres ? Tu l'as pris ? Pourquoi ?

— Oui. Je l'ai pris lundi. Et je l'ai lu. Et j'ai besoin de t'en parler.

Soudain, elle semblait plus alerte.

— OK. L'as-tu toujours ?

— Ouais. Je veux le garder. Il... il parle d'une femme du nom de Sarah Curtis qui habitait à Gloucester, au Massachusetts, durant les années 1970.

— Hum, hum.

Poursuis ton récit et ne te gêne pas pour lui donner du sens, Alisa.

J'ai inspiré de l'air frais en détestant ce que je m'apprêtais à dire.

— La Sarah Curtis de ce livre, la sorcière, était ma mère. J'en suis presque certaine.

Disons plutôt que j'en étais convaincue.

Morgan a cligné des yeux et a remué les jambes.

— Qu'est-ce qui te fait croire ça ? a-t-elle enfin demandé.

— Ma mère s'appelait Sarah Curtis et elle habitait à Gloucester, au Massachussetts. Certains éléments du journal me rappelaient ma mère et ce que mon père m'avait dit à son sujet. Et puis, après l'avoir lu, j'ai pris le coffre à bijoux qu'elle m'a laissé et j'ai trouvé un compartiment secret en dessous. Je l'ai ouvert, et il contenait des lettres d'un oncle que je ne connaissais pas et qui parlaient de magye. Dans une lettre, il a félicité maman de la naissance de sa fille, Alisa. Au Texas. L'endroit où je suis née.

J'ai pris une grande respiration.

— Sarah Curtis était une sorcière Rowanwand.

J'avais toute son attention à présent. Ses sourcils se sont arqués en pointes, et elle a semblé fixer mon cerveau du regard.

— Mais ton père n'est pas une sorcière, n'est-ce pas ?

J'ai secoué la tête.

— Alors, tu crois être une demi-sorcière ?

— Oui, ai-je répondu avec raideur.

Elle a remué les pieds et a jeté un regard à la ronde. Que lui arrivait-il ?

— Demi-sorcière. Toi. Bon Dieu, comment te sens-tu à ce sujet ? Tout un choc.

J'ai émis un rire sec.

— Choc n'est pas assez fort. Je suis si… inquiète. Très, très bouleversée. Je ne savais rien de tout ça. Je ne crois pas que mon père était au courant non plus. Mais tout à coup, je suis une personne que je ne pensais pas être et… je panique. Je ne veux pas être une sorcière.

Morgan a hoché la tête d'un air compréhensif.

— Je sais ce que tu veux dire. Je suis passée par la même chose en novembre dernier. Tout à coup, j'étais quelqu'un d'autre.

Je savais qu'il s'agissait du moment où elle avait appris qu'elle était adoptée.

— C'est seulement que toi, Hunter et les autres, vous m'effrayez. J'ai peur de certaines des choses que vous faites. Et à présent, je découvre que je suis comme vous.

OK. Je ne m'exprimais pas très bien. Mais Morgan n'a pas paru offusquée.

— Et tu aimerais ne pas être effrayée, et tu es inquiète, et tu ignores tout ce que tout ça veut dire.

— Oui.

J'ai senti une vague de soulagement déferler en moi : elle comprenait. Quelqu'un comprenait par quoi je passais.

La première cloche a retenti à ce moment-là, et nous avons toutes deux sursauté comme si nous avions été poussées par le bâton d'un éleveur.

— Je ne m'habituerai jamais à ce son, a dit Morgan en observant les étudiants qui entraient dans l'immeuble. Écoute, Alisa, je comprends comment tu te sens. Ça n'a pas été facile pour moi de découvrir mon héritage non plus. Mais ça aide d'en parler. Pourquoi ne viens-tu pas au prochain cercle de Kithic samedi ? Tout le monde s'ennuie de toi. Et tu pourras parler à

Hunter ou à moi par la suite. Nous pourrons former ton groupe de soutien.

J'y ai réfléchi un moment.

— Ouais, OK. Peut-être bien.

J'ai baissé les yeux sur mon sac à dos.

— Alors, puis-je garder le livre ?

Morgan m'a regardée.

— Je pense qu'il est déjà à toi.

5

Morgan

«Avant de pouvoir reproduire la vague sombre pratiquement partout, le mieux que nous pouvions faire était de semer une épidémie, comme la peste. Et c'était tellement aléatoire.»

— Doris Grafton, New York, 1972

Pourquoi fais-je ceci? me suis-je demandé. J'étais assise à bord de Das Boot devant la maison de Hunter et j'essayais de réunir le courage nécessaire pour entrer. Oui, je voulais dîner avec lui; oui, je voulais en savoir plus sur le Livre des ombres de Rose MacEwan; oui, j'étais heureuse de me sauver du «plat surprise du jeudi» de Mary K. : tourte aux épinards. Mais j'étais incapable de chasser ma réticence à voir Daniel Niall de nouveau.

J'ai projeté mes sens avant de sortir de la voiture ; non pas que d'être *dans* la voiture, même avec les portières verrouillées, soit un gage de protection. Pas contre une sorcière aussi puissante que Ciaran. Je n'ai rien senti et je me suis rappelé sèchement que ça n'était pas nécessairement une garantie, puis j'ai filé en vitesse dans l'allée inégale menant à la maison de Hunter.

Il a ouvert la porte avant même que je n'y cogne.

— Hé, a-t-il dit, et ce seul mot, additionné à sa manière de me regarder (regard sombre et intense) a fait trembler mes genoux.

— Allô. J'ai apporté ceci, ai-je dit en poussant vers lui un bouquet de fleurs piqué dans un cône en papier.

J'étais trop jeune pour acheter du vin, mais je ne voulais pas me présenter les mains vides, alors je m'étais rendue chez le fleuriste de la rue principale pour choisir des célosies rouges. Je n'avais pu résister à leur aspect si étrange et à leur couleur rouge sang.

— Merci.

Il semblait ravi et s'est penché pour m'embrasser.

— Est-ce que ça va ? Est-il arrivé quoi que ce soit d'anormal ?

— Non, ai-je dit en secouant la tête. Jusqu'ici, tout va bien. Je n'arrive simplement pas à me défaire de l'impression que...

Hunter m'a tirée vers lui et m'a frotté le dos.

— Je sais.

— Il pourrait être *n'importe où*.

Il a hoché la tête.

— Je sais, ma belle. Mais tout ce que nous pouvons faire est de nous tenir sur nos gardes. Et sache que s'il tente de faire quoi que ce soit, nous lui livrerons bataille ensemble.

— Ensemble, ai-je dit doucement.

Hunter a souri.

— Eh bien, enlève ton manteau et viens t'asseoir. Le dîner est presque prêt.

Le père de Hunter est entré et a regardé la table mise pour trois personnes. Hunter s'est dirigé vers la cuisine pour me laisser me tenir maladroitement près d'un homme qui se défiait de moi et qui détestait mon père, à juste titre.

— Allô, Monsieur Niall, ai-je dit en parvenant à sourire.

Il a hoché la tête avant de me tourner le dos et d'aller dans la cuisine, d'où j'ai entendu des murmures. Des nœuds se sont formés dans mon ventre, et j'aurais voulu être à la maison, à engloutir une pointe de tourte aux épinards.

Cinq minutes plus tard, nous avions pris place à la petite table, tous les trois, et j'attaquais avec enthousiasme le rôti braisé de Hunter. Une assiette des délicieux mets cuisinés par Hunter m'aidait grandement à supporter monsieur Niall.

— Oh, c'est tellement plus savoureux que la tourte aux épinards, ai-je dit en enfonçant ma fourchette dans une pomme de terre.

J'ai souri à Hunter.

— Et tu es un excellent *cuisinier*.

En plus d'être fabuleux dans l'art du baiser, d'être une sorcière puissante et d'être d'une beauté incroyable.

Hunter m'a fait un grand sourire. Monsieur Niall n'a pas levé les yeux. Ses traits commençaient à être moins tirés, ai-je constaté en jetant un coup d'œil de son côté. La première fois que je l'avais vu, il ressemblait à une personne oubliée dans une armoire : gris et ratatiné. Plus d'une semaine plus tard, il semblait plus vivant.

— Papa, pourquoi ne partages-tu pas avec Morgan certaines de tes impressions au sujet du livre de Rose ? a suggéré Hunter. En ce qui concerne le sortilège pour contrer la vague sombre ?

Soudain, on aurait dit que monsieur Niall venait de mordre dans un citron.

— Oh, vous n'êtes pas obligé, ai-je dit en sentant la colère défensive s'éveiller en moi ; je l'ai refoulée.

— Non, je veux qu'il t'en parle, a persisté Hunter.

— Je ne suis pas prêt, a dit Daniel en regardant Hunter. Le livre m'a aidé, mais pas assez pour me permettre d'en discuter.

Hunter s'est tourné vers moi, et j'ai vu un muscle se contracter dans sa mâchoire.

— Papa lit et relit le Livre des ombres de Rose. Il contient certains indices qu'il pense pouvoir utiliser pour concevoir un sortilège qui pourrait peut-être défaire une vague sombre.

— Oh mon *Dieu*. Monsieur Niall, c'est incroyable ! ai-je dit avec sincérité.

Daniel a déposé sa serviette près de son assiette. Sans me regarder, il a pris la parole avec brusquerie.

— Tout ceci est prématuré, Gìomanach. Le livre ne me fournit pas suffisamment de renseignements pour que ça fonctionne. Et je ne pense pas que la fille de Ciaran devrait être incluse dans notre discussion.

Et voilà, le chat était sorti du sac. J'avais l'impression d'être le clochard du village qui assisterait à une réunion sur la revitalisation des lieux.

Hunter est devenu parfaitement immobile, et je le connaissais suffisamment pour penser : « Oups. » Ses mains étaient posées sur les côtés de son assiette, sur la table, mais chaque muscle de son corps était tendu, comme ceux d'un léopard prêt à bondir. J'ai vu monsieur Niall plisser légèrement les yeux.

— Papa, a dit Hunter d'une voix très basse, et le ton de sa voix me disait qu'ils avaient déjà eu cette discussion auparavant, Morgan n'est pas de connivence avec Ciaran. Ciaran a essayé de la *tuer*. Elle a posé un sigil de surveillance sur lui au nom du Conseil. À présent, il est en route ou il est déjà ici pour la confronter à ce sujet. Ils sont rivaux. Elle pourrait être en danger mortel.

Il y avait un immobilisme terrible dans sa voix. J'avais seulement entendu ce ton à quelques reprises, et il l'avait adopté dans des situations extrêmement horribles. L'entendre à cette table me donnait des frissons dans le dos. C'était une erreur de venir ce soir. Pendant que je débattais intérieurement si j'étais assez brave pour me lever, prendre mon manteau et marcher vers ma voiture avec le plus de dignité possible, monsieur Niall a pris la parole.

— Pouvons-nous nous permettre de prendre le risque?

Sa voix était douce, amicale : il reculait.

— Le risque que tu prends n'est pas celui que tu crois, a dit Hunter sans détourner le regard.

Silence.

Enfin, monsieur Niall a baissé les yeux sur son assiette. Ses longs doigts ont doucement tapoté la table. Puis, il a dit :

— Essentiellement, une vague sombre est une déchirure entre ce qui divise ce monde et l'autre monde. Le sortilège qui sert à lancer une vague sombre comporte plusieurs parties. Ou du moins, il s'agit là de mon hypothèse. D'abord, la sorcière doit se protéger au moyen de diverses limites. Puis, elle devra définir les frontières de la vague sombre quand elle se formera afin qu'elle ne s'étale pas sur toute la planète, par exemple.

Déesse, je n'avais même pas cru que c'était possible.

— La déchirure en soi, si on peut l'appeler ainsi, sera le résultat d'une autre partie du sortilège qui, au fond, crée une ouverture artificielle entre les deux mondes, a poursuivi monsieur Niall. Puis, le sortilège appelle l'énergie, les esprits et les entités sombres de l'autre monde vers notre monde. Ils forment la vague sombre ; un nuage d'énergie négative qui détruira tout ce qui constitue de l'énergie positive. Ce qui définit la majorité de ce qui se trouve sur la Terre.

— S'agit-il de fantômes ? ai-je demandé.

Monsieur Niall a secoué la tête.

Pas tout à fait. La majorité n'a jamais vécu ou n'a aucune identité propre. Les entités semblent avoir seulement la conscience nécessaire pour sentir la faim. Plus elles absorbent d'énergie positive, plus elles seront fortes la prochaine fois. Les vagues sombres d'aujourd'hui sont infiniment plus fortes que celle relâchée par Rose il y a trois cents ans. Puis, la dernière partie du sortilège recueille cette énergie pour la renvoyer par la déchirure.

J'ai réfléchi un moment.

— Ainsi, un contre-sortilège devra tenir compte de toutes les parties du sortilège original pour ensuite fermer de façon permanente la division entre les deux mondes ou disperser l'énergie sombre.

— Oui, a dit monsieur Niall, qui semblait se détendre légèrement. Je crois pouvoir y arriver, si je dispose d'assez de temps et si j'arrive à déchiffrer une assez grande portion du sortilège de Rose. Je connais les vagues sombres, et ma femme était une Wyndenkell, maître dans la confection de sortilège. Mais je commence à avoir l'impression que Rose a fait attention à ne pas consigner les renseignements dont j'ai besoin par écrit.

Mon ancêtre est à l'origine de tout cela, ai-je pensé sombrement. Cette tradition se perpétue dans ma famille. Ma famille. J'ai levé les yeux.

— Pourrais-je revoir le livre de Rose, je vous prie?

Hunter s'est levé immédiatement et est sorti de la pièce. Monsieur Niall a ouvert la bouche comme pour s'y opposer avant de changer d'avis. Hunter était de retour le moment d'après avec le Livre des ombres élimé et vieux de centaines d'années. Je l'ai ouvert soigneusement afin de ne pas endommager les pages fragiles.

— Est-ce que l'un d'entre vous a un athamé ? ai-je demandé.

Sans dire un mot, Hunter est allé chercher le sien.

— Tiens-le au-dessus de la page, lui ai-je dit. Voyons si quelque chose apparaît.

— J'ai déjà essayé, a soufflé monsieur Niall.

— Papa, je pense que tu sous-estimes la force des pouvoirs inhabituels de Morgan, a dit Hunter d'un ton égal. De plus, elle est une descendante de Rose. Il est possible qu'elle établisse avec les écrits de Rose un lien qui ne nous est pas accessible.

Hunter a doucement déplacé le plat de la lame sur la page, que nous avons observée tous les trois. Quand j'avais trouvé le Livre des ombres de ma mère, Maeve, j'avais employé cette technique pour illuminer des passages cachés. J'avais la sensation que la technique fonctionnerait de nouveau.

— Je ne vois rien, a soupiré Hunter.

J'ai pris l'athamé et glissé le livre vers moi. J'ai laissé mon esprit plonger dans la page recouverte d'une écriture minuscule et en pattes de mouche dont l'encre noire avait fané pour devenir brune depuis longtemps. Montre-moi, ai-je pensé d'un ton chantant. Montre-moi tes secrets. Puis, j'ai lentement déplacé l'athamé sur la page, comme Hunter l'avait fait. Montre-moi, ai-je murmuré en silence. Montre-moi.

La tension soudaine émanant de Hunter et de monsieur Niall m'a avisée de sa présence avant même que mes yeux ne l'aperçoivent. Devant moi, sur la page, une fine écriture bleue brillait sous la lame du couteau. J'ai essayé de la lire sans y parvenir : les mots étaient étranges et je ne reconnaissais pas certaines lettres.

J'ai pris une grande respiration et me suis redressée en déposant l'athamé sur la table.

— Avez-vous reconnu ces mots ? ai-je demandé.

Monsieur Niall a hoché la tête en regardant mon visage pour la première fois ce soir-là.

— Il s'agit d'une ancienne forme du gaélique.

Puis, il a pris l'athamé et l'a tenu au-dessus de la page. Pendant une longue minute, rien n'est apparu, puis l'écriture bleue a brillé de nouveau. Les yeux de monsieur Niall semblaient la boire.

— C'est ça, a-t-il dit avec une touche d'excitation et d'admiration dans la voix. Voilà l'information dont j'ai besoin. Il s'agit des indices secrets que je recherchais.

À contrecœur, il m'a jeté un regard respectueux.

— Merci.

— Bon travail, Morgan, a dit Hunter.

Je lui ai souri, embarrassée, et j'ai lu la fierté et l'admiration dans ses yeux.

Tout à coup, je me suis sentie malade physiquement, comme si mon corps avait été attaqué sournoisement par un virus. Je me suis aperçue que j'avais mal à la tête, que j'avais mal partout et que j'étais fatiguée. Il fallait que je rentre chez moi.

— Il est tard, ai-je dit à Hunter. Je ferais mieux d'y aller.

Monsieur Niall m'a regardée pendant que je me retournais pour partir.

— Tchao, Morgan.

— Au revoir, Monsieur Niall.

J'ai regardé Hunter.

— Mais l'écriture ? Va-t-elle disparaître si je pars ?

Hunter a secoué la tête.

— Tu l'as dévoilée, alors elle devrait être visible pendant au moins quelques heures. Assez longtemps pour permettre à papa de la retranscrire.

Hunter est allé chercher mon manteau et m'a accompagnée sur le porche. Nous avons tous les deux jeté un regard rapide à la ronde et avons senti que l'autre projetait ses sens.

— Je vais prendre mes clés, a-t-il dit, et te suivre jusque chez toi.

J'ai secoué la tête.

— Ne recommençons pas ce jeu.

Hunter tentait constamment de me protéger au-delà de ma limite de confort.

— Et si je dormais devant chez toi, alors ? Dans ma voiture.

Je l'ai regardé, amusée, pour constater qu'il plaisantait à moitié.

— Oh non, ai-je protesté. Non, ce n'est pas nécessaire que tu fasses cela.

— Alors peut-être que c'est nécessaire pour *moi*.

— Merci. Je sais que tu t'inquiètes à mon sujet, mais tout ira bien. Reste ici et aide ton père à décrypter le sortilège de Rose. Je t'appellerai quand j'arriverai chez moi, d'accord?

Hunter a paru incertain, mais je lui ai dit au revoir en l'embrassant à peu près huit fois et suis grimpée à bord de ma voiture. Ce n'était pas que je me sentais invincible, c'était plutôt qu'en m'opposant à quelqu'un comme Ciaran, je ne pouvais pas faire grand-chose, sauf de lui faire face. Je savais qu'il voulait me parler et je savais aussi qu'il allait y parvenir, au moment qu'il choisirait. Que Hunter soit là ou non.

Pendant que je m'éloignais, j'ai vu Hunter qui se tenait dans la rue et qui m'observait jusqu'à ce que je prenne le tournant.

Je me sentais horriblement mal quand je me suis garée dans ma cour. Je suis sortie

de Das Boot, que j'ai verrouillé en grima-
çant à la vue de son capot bleu que je n'avais
pas encore fait peindre, et j'ai avancé dans
l'allée. L'air n'avait pas l'odeur du printemps ni celui de l'hiver. J'étais entourée
des crocus mourants de maman.

Il n'était pas si tard : quelques minutes
passé vingt et une heures. Peut-être
pourrais-je prendre un médicament contre
le mal de tête et regarder un peu la télé
avant d'aller au lit.

— Morgan.

Ma main a bondi de la porte d'entrée
comme si cette dernière était électrifiée.
Chaque cellule de mon corps déclenchait
l'alerte rouge : ma respiration s'est emballée,
mes muscles se sont contractés et mon
estomac s'est serré, comme si je me préparais à la guerre.

Je me suis tournée lentement pour faire
face à Ciaran MacEwan. Il est beau, ai-je
pensé, ou plutôt pas exactement beau, mais
charismatique. Il devait mesurer environ
un mètre quatre-vingt, soit un peu moins
que Hunter. Ses cheveux brun foncé étaient
striés de gris et ses yeux brun noisette

étaient légèrement inclinés dans les coins : j'avais l'impression de regarder les miens. La dernière fois que je l'avais vu, il avait pris la forme d'un loup ; un loup gris et puissant. Quand les membres du Conseil avaient soudain surgi de nulle part, il avait disparu dans les bois en me jetant un dernier regard de ces yeux.

— Oui ? ai-je répondu en me contraignant à paraître calme.

Il a souri, et j'ai compris comment ma mère avait pu tomber amoureuse de lui il y avait plus de vingt ans.

— Tu savais que j'étais en route ? a-t-il dit de son accent écossais mélodieux, qui était plus doux et séduisant que l'accent britannique net de Hunter.

— Oui. Que veux-tu ?

J'ai croisé les bras sur ma poitrine en m'efforçant de cacher que mon esprit s'emballait : devrais-je envoyer un message à Hunter ? Devrais-je essayer de lui jeter un sortilège quelconque ? Pourrais-je disparaître dans un nuage de fumée ?

— Je te l'ai dit, Morgan. Je veux te parler. Je voulais te dire que je te pardonne pour le sigil de surveillance. Je voulais essayer encore une fois de te convaincre de te joindre à moi et de prendre la place qui te revient à titre d'héritière de mon pouvoir.

— Je ne peux pas me joindre à toi, Ciaran, ai-je dit d'un ton morne.

— Mais si, tu le peux, a-t-il dit en faisant un pas vers moi. Bien sûr que oui. Tu peux faire tout ce que tu veux. Ta vie peut être exactement ce que tu souhaites qu'elle soit. Tu es puissante, Morgan : tu possèdes un grand potentiel non exploité. Je suis le seul à pouvoir te montrer comment l'utiliser. Je suis le seul capable de te comprendre parce que nous sommes si semblables.

Je n'ai jamais été douée dans le contrôle de ma colère, et plus d'une fois, ma grande gueule m'avait attiré des ennuis. J'ai poursuivi cette tradition à ce moment-là en refusant d'admettre ma peur qui frôlait la terreur.

— Sauf que l'un d'entre nous est une élève innocente pendant que l'autre est le chef d'une bande de sorcières meurtrières et maléfiques.

L'espace d'un moment, j'ai vu un éclair de colère dans ses yeux et j'ai cessé de respirer. Je redoutais ce qu'il allait me faire, mais en même temps, je voulais en finir. Mes genoux ont commencé à trembler, et j'ai prié pour qu'ils ne se dérobent pas sous moi.

— Morgan, a-t-il dit, et sous sa voix lisse se cachait une mince couche de colère. Tu agis de façon bien provinciale. Sans raffinement. Sans ouverture d'esprit.

— Je sais ce que « provincial » veut dire.

Il n'avait même pas besoin d'entendre le chevrotement dans ma voix : il pouvait déceler à quel point j'étais à fleur de peau.

— Alors, comment peux-tu supporter de t'abaisser à un tel niveau ? Comment peux-tu t'ériger en juge ? Es-tu si clairvoyante, si omnisciente pour être capable de décider ce qui est bien et mal pour moi, pour les autres ? Possèdes-tu une compréhension si parfaite du monde que tu puisses te permettre de porter des jugements ? Morgan, la magye n'est ni bien ni mal. Elle existe, tout simplement. Ne te limite pas de la sorte. Tu n'as que dix-sept ans : tu as toute une vie à faire de la magye, de la magye belle et puissante, devant toi. Pourquoi fermer toutes les portes maintenant ?

— Je ne suis peut-être pas omnisciente, mais je sais ce qui est bien pour moi. J'ai compris que c'est mal d'anéantir des villages et des assemblées en entier, d'un seul coup, ai-je dit en essayant de parler à voix basse afin que personne ne m'entende dans la maison. Il est impossible pour toi de justifier de tels gestes.

Ciaran a pris une grande respiration avant de serrer les poings à quelques reprises.

— Tu es ma fille, mon sang coule dans tes veines. Je suis ta famille. Je suis ton père, ton *vrai* père. Joins-toi à moi, et tu auras enfin une famille.

La pointe de douleur furtive en moi n'a pas détourné mon attention.

— J'ai une famille.

— Ils ne sont pas des sorcières, Morgan, a-t-il minutieusement affirmé, comme si j'étais une idiote. Ils ne peuvent ni te comprendre ni respecter ton pouvoir comme je peux le faire. C'est vrai que je suis égoïste. Je souhaite avoir le plaisir de t'enseigner ce que je sais, de te voir t'épanouir comme une rose, de voir tes pouvoirs extraordinaires porter leurs fruits. Je veux vivre cette expérience avec toi. Mes autres enfants... ne sont pas aussi prometteurs.

J'ai songé à mon demi-frère, Killian, le seul des autres enfants de Ciaran que j'avais rencontré. J'avais bien aimé Killian : il avait été amusant, drôle, irrévérencieux, irresponsable. Mais il ne possédait pas les caractéristiques d'un héritier d'un empire de pouvoir. Il n'était pas aussi bon que je pouvais l'être.

— Et tu... tu es la fille de ma *mùirn beatha dàn*, a-t-il doucement dit.

Son âme sœur : ma mère.

— Que tu as tuée, ai-je dit d'un ton tout aussi doux, sans colère. Tu peux me faire cette demande jusqu'au jour de ma mort, mais je ne me joindrai jamais à toi. Je ne peux pas. Dans le cercle de la magye, je me trouve du côté de la lumière. Mon pouvoir provient de la lumière et non des ténèbres. Je ne veux pas obtenir le pouvoir des ténèbres. Je ne le voudrai jamais.

J'espérais réellement dire la vérité.

— Tu changeras d'avis, tu sais, a-t-il dit, mais j'ai décelé une petite pointe de doute dans sa voix.

— Non. Je ne peux pas. Je ne veux pas.

— Morgan, je t'en prie. Ne m'oblige pas à faire ceci.

— À faire quoi? ai-je demandé en sentant un fil d'alarme se glisser en moi.

Il a poussé un soupir avant de baisser les yeux.

— J'espérais tant que tu changes d'idée, a-t-il dit comme s'il se parlait à lui-même. Je suis désolé de voir que ce n'est pas le cas. Un pouvoir comme le tien… il doit s'allier au mien, sans quoi il représente un trop grand risque.

— Mais bon sang, que veux-tu dire?

Il a relevé les yeux vers moi.

— Tu as encore le temps de changer d'idée, a-t-il dit. Il te reste du temps pour te sauver et sauver la vie de ta famille et de tes amis. Si tu prends la bonne décision.

— Dis-moi de quoi tu parles, ai-je exigé alors que ma gorge se serrait sous l'emprise de la peur.

J'ai songé à ce qu'il pourrait me faire, à ce qu'il pourrait faire aux gens de cette maison que j'aimais. À Hunter.

— *Sauver* ma vie et celle de ma famille? Ne t'avise pas de faire *quoi que ce soit*. Tu as posé ta question et j'y ai répondu. Maintenant, fous le camp d'ici.

Je tremblais pratiquement de rage et de terreur en me remémorant trop bien le cauchemar que j'avais vécu à New York quand il avait tenté de m'amener à renoncer à mon pouvoir et à mon âme pour lui. Je me suis souvenue aussi de la douceur terrifiante et grisante d'être un loup à ses côtés; un prédateur impitoyable et magnifique, à la force indescriptible. Oh, Déesse.

— Je m'en vais, a dit Ciaran d'un ton attristé. Je ne te le redemanderai pas. C'est dommage que tout doive se terminer ainsi.

— Se terminer *comment*? ai-je pratiquement hurlé, à deux doigts de l'hystérie.

— Tu as choisi ton destin, ma fille, a-t-il dit en se détournant pour partir. Ce n'est pas ce que je voulais, mais tu ne me laisses d'autre choix. Mais sache que par ta décision, tu t'es non seulement sacrifiée, mais tu sacrifies aussi tous ceux et tout ce que tu aimes.

Il m'a adressé un sourire amer et contrit.

— Adieu, Morgan. Tu étais une étoile scintillante.

J'étais prête à bondir pour l'étouffer afin qu'il m'explique ce qu'il voulait dire, l'obliger à annoncer ce qu'il allait faire. Puis, je me suis souvenue que je connaissais son nom véritable ! Le nom de son essence ; le nom qui me donnerait un contrôle entier sur lui. Le nom qui était à la fois une couleur, une chanson et une rune. Au moment où le nom allait franchir mes lèvres tremblantes, Ciaran a disparu dans la nuit. J'ai cligné des yeux pour observer les ténèbres, mais je n'ai rien vu : ni ombre, ni traces de pas sur l'herbe morte, ni marque dans la rosée froide qui se formait.

Brusquement, mes genoux ont finalement cédé sous moi et je me suis brutalement assise sur les marches en ciment froides. Mon souffle glacé était pris dans ma gorge. Mes mains tremblaient. J'étais stupéfiée par la panique et l'effroi. Dès que j'ai pu me lever, je suis entrée chez moi et j'ai souri et souhaité bonne nuit à ma famille. Puis, à l'étage, j'ai appelé Hunter et je lui ai dit que Ciaran était entré en contact avec moi.

Le lendemain matin, Hunter m'attendait devant chez moi quand Mary K. et moi sommes sorties pour nous rendre à l'école.

— Allô, Hunter ! a dit ma sœur.

Elle semblait surprise mais heureuse de le voir si tôt le matin.

— Allô, Mary K., a-t-il dit. Ça t'ennuie si je me joins à vous ce matin ?

Déroutée, ma sœur a haussé les épaules avant de se glisser sur la banquette arrière de Das Boot. Hunter et moi avons échangé des regards qui en disaient long.

Pendant le reste de la journée, Hunter est resté dans ma voiture, garée devant l'école. La nuit dernière, je m'étais trouvée dans ma maison ensorcelée. Aujourd'hui, à l'école, je n'avais pas beaucoup de protection. Chaque fois que je passais devant une fenêtre, je jetais un regard de son côté. Même si nous savions tous les deux que ce que nous faisions était l'équivalent d'ériger une maison de mouchoirs devant un coup de vent, nous nous sentions mieux de savoir l'autre si proche.

À l'heure du déjeuner, il s'est joint à moi et aux membres de Kithic à la cafétéria. Lors de notre discussion de la veille, nous nous étions entendus pour ne rien dire aux autres membres de l'assemblée tant que nous n'en saurions pas davantage.

— Allô, Hunter, a dit Bree en prenant place à ses côtés. Que fais-tu ici ?

— Je m'ennuyais de ma belle, j'imagine, a dit Hunter en acceptant la moitié de sandwich que je lui tendais.

Il a tout de suite changé de sujet.

— Alors, vous serez tous là au prochain cercle, n'est-ce pas ? Chez Thalia ?

J'ai vu Bree plisser ses magnifiques yeux couleur café pendant une fraction de seconde et je me suis dit que c'était une veine que Thalia ne fréquente pas notre école. Elle ne cachait pas son attirance envers Robbie. Secrètement, j'étais d'avis que ce n'était pas une mauvaise chose que Bree ait un peu de compétition.

Raven Meltzer a clopiné vers nous, chaussée de ses bottes de motard, et a pris place au bout de la table. Elle semblait étrangement calme aujourd'hui, avec son pull molletonné noir et déchiré, son pantalon d'habit pour homme et sa couche de moins d'un centimètre de maquillage. Elle a hoché la tête vers le groupe avant d'examiner sans grand enthousiasme le déjeuner qu'elle avait acheté.

J'ai jeté un regard à la ronde sur mon assemblée, sur mes amis, en me remémorant les paroles prononcées par Ciaran la veille : il avait dit que par ma décision, je les avais tous sacrifiés. Au début de l'année scolaire, je ne connaissais véritablement que Bree et Robbie. À présent, toute la bande — Jenna, Raven, Ethan, Sharon et Matt — était comme des membres de ma famille élargie. Malgré nos différences, malgré les autres groupes auxquels nous appartenions, nous formions une assemblée. Nous avions fait de la magye ensemble. Et à présent, à cause de moi, ils couraient peut-être un grave danger. J'ai pris quelques respirations frémissantes et j'ai ouvert mon carton de lait au chocolat. Hunter et moi allions trouver une solution : il fallait que j'aie confiance.

Après l'école, j'ai rejoint Hunter à bord de Das Boot. Nous avons reconduit Mary K. à la maison, où il a repris sa voiture, puis nous avons tous deux pris la route vers sa maison. Une fois là-bas, il a appelé son père. Monsieur Niall est rapidement descendu au rez-de-chaussée et m'a saluée avec légèrement plus de chaleur qu'à l'habitude. Je me suis sentie un peu encouragée quand nous nous sommes assis autour de la table en bois de la cuisine.

— La nuit dernière, Ciaran t'a demandé de te joindre à lui, a dit Hunter en sautant dans le vif du sujet.

J'ai essayé d'ignorer le tressaillement de monsieur Niall.

— Oui, ai-je dit. Il me l'avait déjà demandé. J'ai toujours dit non. J'ai redit non hier soir. Mais cette fois-ci, le moment semblait plus final. Il m'a dit qu'il était désolé de l'entendre, mais qu'il était toujours possible pour moi de sauver ma vie, celle de mes amis et celle de ma famille, si je prenais la bonne décision.

— Il a parlé précisément de tes amis et de ta famille? a demandé Hunter.

— Oui.

Hunter et monsieur Niall ont croisé le regard au-dessus de la table. Monsieur Niall a étiré les mains sur la table et les a regardées. Enfin, il a pris la parole.

— Oui, ça m'a tout l'air d'une vague sombre.

Ma bouche est devenue béate. D'une certaine façon, malgré ses implications, je ne m'étais pas laissée aller à croire que Ciaran y faisait référence.

— Alors, vous croyez que Ciaran enverrait une vague sombre *ici*, à Widow's Vale? Pour moi?

— On dirait bien, a répondu monsieur Niall, et Hunter a lentement hoché la tête. Bien qu'il est fort possible qu'elle cible uniquement les membres de l'assemblée et leurs familles, et non pas toute la ville.

— Je suis d'accord avec papa, a renchéri Hunter. D'après ce que tu m'as dit hier, on dirait bien que Ciaran estime ton pouvoir trop grand pour lui permettre de ne pas s'allier au sien. Et je présume qu'il souhaite aussi se venger puisque tu refuses de te joindre à lui. Sans oublier l'avantage d'anéantir un investigateur par le fait même.

Même si j'avais tenté de nier la menace réelle contenue dans les paroles de Ciaran, dès que Hunter a prononcé les mots « vague sombre », j'ai su qu'il avait raison. La nouvelle me frappait tout de même comme un nouveau coup écrasant, et j'ai pris de petites respirations superficielles pour essayer de me calmer.

— Je pense qu'il la planifie depuis un moment, a poursuivi monsieur Niall. J'en ai ressenti les effets au cours de la semaine dernière. Une atmosphère d'engourdissement, de décomposition règne dans l'air. D'oppression. D'abord, j'ai cru que mon esprit me jouait des tours, mais à présent, je sais que mes instincts étaient bons : une vague sombre approche.

En un éclair, je me suis souvenue de la rangée de crocus de maman qui mourait près de l'allée avant. J'ai songé au gazon qui n'avait pas encore verdi, même si le temps était venu. J'ai pensé à quel point je me sentais mal physiquement.

— Que pouvons-nous faire ? Comment l'arrêter ? ai-je demandé en m'efforçant de ne pas paraître complètement terrifiée.

En moi, mon esprit hurlait. *Il n'y a aucun moyen de l'arrêter, il n'y a jamais eu aucun moyen.*

— J'ai communiqué avec le Conseil, m'a répondu Hunter. Ils n'ont été d'aucune aide, comme d'habitude. Ils sont à la recherche de Ciaran et, à présent qu'ils savent qu'il est ici, ils vont encercler Widow's Vale.

— De mon côté, cela signifie que je vais dédier tout mon temps et mon énergie à concocter un sortilège pour combattre une vague sombre, a dit le père de Hunter. J'ai été en mesure de décrypter une grande partie de l'écriture cachée dans le livre de Rose. J'ai commencé à esquisser la toile de fond du sortilège, sa forme. J'aimerais disposer de plus de temps, mais je travaillerai aussi vite que possible.

Le poids de la réalité pendait au-dessus de ma tête comme un coffre-fort en fer. Tout ceci arrivait à cause de *moi*. J'en étais la cause. Ciaran était mon père biologique, et, pour cette raison, tout ce à quoi je tenais allait être détruit.

— Et si je quittais la ville ? ai-je suggéré frénétiquement. Si je quitte la ville, Ciaran me poursuivra et laissera tout le monde tranquille.

— Non ! se sont exclamés Hunter et son père au même moment.

Surprise par leur véhémence, j'allais commencer mes explications, mais monsieur Niall m'a interrompue.

— Non, a-t-il dit. Ça ne fonctionnerait pas. Je ne le sais que trop bien. Cela ne

règlera rien. Cela ne garantirait pas la sécurité de la ville, et tu serais aussi bien que
morte. Non, nous devons affronter cette
vague de front.

— Mais que faire au sujet des autres
membres de Kithic ? ai-je demandé. Ne
devraient-ils pas être mis au courant ?
Pourraient-ils nous aider d'une manière ou
de l'autre ? Si nous alliions nos forces ?

Hunter a paru mal à l'aise en disant :

— Je ne crois pas que nous devrions
aviser Kithic.

— Quoi ? Pourquoi pas ? Ils sont en
danger !

Hunter s'est levé pour mettre la
bouilloire sur le feu. Quand il s'est retourné,
il avait l'air peiné.

— C'est seulement que… c'est une
affaire de sorcières de sang. Nous ne
sommes pas supposés impliquer des
humains dans nos affaires. Et ce n'est pas
tout, il n'y a rien qu'ils puissent faire. Ils ont
toute la volonté du monde, mais ils possè-
dent bien peu de pouvoir. Et si nous leur en

parlions, ils ne nous croiraient pas de toute façon. Et s'ils nous croyaient, ils paniqueraient, ce qui ne nous aiderait en rien.

— Ainsi, nous devons agir comme si nous ne savions pas que tout le monde pourrait mourir, ai-je dit en tenant ma tête dans mes mains, les coudes posés sur la table.

— Oui, a dit Hunter à voix basse, et ce fut un nouveau rappel qu'il était un investigateur du Conseil et que les décisions difficiles, déchirantes faisaient partie de sa description d'emploi.

Mais c'était nouveau pour moi, et cela faisait mal. Ne pas pouvoir avertir ma propre famille ou Bree et Robbie allait me blesser... J'ai avalé difficilement ma salive.

— Il y a plus, a indiqué monsieur Niall. Je ne t'en ai pas encore parlé, a-t-il dit à Hunter. Ce type de sortilège, en fait, n'importe quel sortilège, doit être jeté par une sorcière de sang, qui devra se tenir très près physiquement de l'endroit d'où proviendra la vague sombre. Je présume que Ciaran utilisera le puits de pouvoir local afin d'amplifier la puissance de la vague.

J'ai lentement hoché la tête.

— Cela semble logique.

En bordure de la ville, dans un ancien cimetière méthodiste, de nombreuses lignes magyques se rencontraient. Cela faisait de cet endroit un puits de pouvoir : toute magye effectuée là était plus forte. Les pouvoirs inhérents d'une sorcière de sang étaient aussi décuplés en ce lieu.

— Bien entendu, le problème, a continué monsieur Niall, est que pour être assez proche pour jeter le sortilège, une sorcière se sacrifiera, car celui-ci provoquera certainement sa mort.

— Même si le sortilège fonctionne et que la vague est détournée ?

Le père de Hunter a hoché la tête. Le sifflement soudain de la bouilloire nous a distraits, et Hunter a machinalement préparé trois tasses de thé. J'ai fixé sans la voir la fumée s'échappant de ma tasse avant de remuer mes doigts au-dessus, dans le sens contraire des aiguilles d'une montre en songeant : « Refroidis la chaleur. » J'ai pris une gorgée. Le thé était parfait.

— Eh bien, voilà un problème, a dit
Hunter.

— Non, ça ne l'est pas, a répondu monsieur Niall. Je vais jeter le sort.

Hunter l'a fixé du regard.

— Mais tu viens de dire que le sortilège tuera probablement la sorcière qui le
jettera !

Son père semblait calme : il avait pris sa
décision il y avait un moment déjà.

— Oui. Il n'y a seulement que quelques
sorcières de sang dans les environs de
Widow's Vale. Je suis le choix logique.
Comme je suis celui qui prépare le sortilège, je le connaîtrai le mieux. Et je retrou-
verai de nouveau ma *mùirn beatha dàn*.

Hunter m'avait dit que la mort de sa
mère, survenue quelques mois plus tôt,
avait presque détruit son père.

— Je viens tout juste de te retrouver !
s'est exclamé Hunter en poussant la table.
Tu ne peux pas faire cela ! Il doit exister une
sorcière mieux choisie.

Monsieur a fait un sourire ironique.

— Comme une sorcière en phase ter-
minale de cancer ? D'accord, mettons-nous
à sa recherche.

Il a secoué la tête.

— Écoute, fiston, il faut que ce soit moi.
Tu le sais aussi bien que moi.

— Je suis plus fort, a dit Hunter en
affichant l'expression déterminée que je
connaissais si bien. Je devrais jeter le sortilège. Je suis persuadé que je pourrais y survivre. Tu pourras me l'enseigner.

Monsieur Niall a secoué la tête.

— Bon sang, je ne te laisserai pas faire !

La voix forte de Hunter a rempli la
petite cuisine. S'il avait crié après moi de
la sorte, j'aurais été consternée, mais son
père n'a pas bronché.

— Ce n'est pas ta décision, fiston, a-t-il
dit avant de prendre calmement sa tasse de
thé pour en boire.

— Combien de temps avons-nous ?
ai-je chuchoté en effleurant la surface usée
de la nappe de mes mains. Elle arrivera
demain ou la semaine prochaine ou…

Monsieur Niall a déposé sa tasse.

— C'est impossible de le dire avec certitude.

Il a regardé Hunter.

— Je dirais, selon le niveau de décomposition dans l'air et mes lectures au sujet des effets d'une vague sombre à venir... peut-être une semaine. Peut-être un peu moins.

— Oh, *Déesse* !

J'ai posé la tête sur la table et j'ai senti mes yeux se gonfler de larmes.

— Une semaine ! Vous dites qu'il nous reste peut-être une semaine sur cette planète, une semaine avant la mort de nos familles ? Et tout ça à cause de moi ? Tout ça à cause de mon père ?

Monsieur Niall m'a observée avec une expression étrange et grave.

— J'ai bien peur que oui, jeune fille.

Il s'est levé.

— Je retourne au travail.

Sans dire au revoir, il a quitté la pièce et je l'ai entendu monter à l'étage.

— Je viens à peine de le retrouver, a dit Hunter, qui semblait au bord des larmes.

J'ai levé les yeux et j'ai compris, tout à coup, que peu importe ce qui allait arriver à ma famille, Hunter allait, à coup sûr, perdre son père. Je me suis levée pour l'entourer de mes bras et le serrer contre moi. Il m'avait réconfortée si souvent, et j'étais heureuse d'avoir maintenant l'occasion de lui rendre la faveur.

— Je sais, ai-je dit doucement.

— Il lui reste des années. Des années à m'enseigner des choses. Des années durant lesquelles j'apprendrais à le connaître de nouveau.

— Je sais.

J'ai posé sa tête contre ma poitrine. Son corps était raidi par la tension.

— Bon sang. Les choses ne peuvent empirer.

— Elles peuvent toujours empirer, ai-je dit, et nous savions tous les deux qu'il s'agissait là de la vérité.

6

Alisa

« L'Assemblée internationale des sorcières est d'avis que le phénomène de la "vague sombre de destruction" est sans aucun doute le sortilège le plus maléfique qu'une sorcière peut perpétrer. Créer, invoquer, utiliser un tel mal, ou y prendre part, est l'antithèse de ce qu'une sorcière doit être. »

— Dinara Rafferty,
ancienne de l'Assemblée
internationale des sorcières,
Loughrea, Irlande, 1994

— Tu veux quelque chose ? Je vais faire les courses.

La voix d'Hilary a interrompu ma lecture, et j'ai levé les yeux au moment où la porte de ma chambre s'ouvrait. Et elle est apparue, avec son legging noir et une tunique rouge ; ses cheveux aux mèches artificielles étaient retenus par un bandeau rouge.

— Non, ça va, ai-je dit en élevant suffisamment la voix pour lui permettre de m'entendre malgré le CD qui jouait.

— De la boisson gazeuse au gingembre ? J'aime bien en boire quand je suis malade.

— Non, merci.

J'ai gagné le duel de regard, et quand Hilary a finalement abandonné la partie, j'ai repris ma lecture. Une minute plus tard, j'ai entendu la porte d'entrée se fermer avec un peu plus de force que nécessaire. J'avais choisi de prendre un congé mental : aller à l'école, me rendre au cours de gymnastique, déjeuner avec les autres, être attentive en classe — tout ça me semblait ridicule devant la découverte que j'étais une demi-sorcière. Par conséquent, j'avais une « maladie » qu'Hilary tentait de soigner. Mais elle était partie maintenant, et je pouvais profiter du calme et avoir la paix.

J'ai tiré le Livre des ombres de Sarah Curtis de sous mon lit, puis j'ai sorti la petite pile de lettres. Depuis mardi, je les avais toutes lues. C'était comme d'essayer de digérer le fait qu'un énorme météore allait percuter la Terre : d'une certaine manière, je n'arrivais pas à comprendre tout ça. Il y avait un mois ou deux, j'ignorais même l'existence de vraies sorcières de sang, et je n'y avais pas vraiment cru jusqu'à ce que je voie Morgan Rowlands et Hunter Niall accomplir des choses pour lesquelles il n'existait aucune autre explication. Et à présent, surprise ! J'étais une moitié de cette chose étrange. Ce n'était pas tout : maman avait eu la même opinion que moi sur le fait d'être une sorcière, elle avait eu peur. Et avant de rencontrer mon père, elle s'était ôté ses pouvoirs. Ce qui expliquait pourquoi il ignorait qu'elle était une sorcière.

Ça faisait beaucoup à digérer : ma mère était une sorcière, elle s'était ôté ses pouvoirs (je ne savais même pas que c'était possible) et elle avait une famille. Papa m'avait toujours dit que maman s'était brouillée avec sa famille avant qu'il ne la rencontre. Il n'avait fait la connaissance d'aucun d'entre eux. D'après son Livre des ombres et les lettres de Sam Curtis, j'avais l'impression que sa famille l'avait déshéritée quand elle s'était enlevé ses pouvoirs. Alors, à moins que sa famille ait été balayée par un accident improbable après le départ de ma mère de Gloucester, j'avais peut-être encore de la parenté là-bas. J'ai supposé qu'il était *possible* qu'ils soient tous morts (FAMILLE DE GLOUCESTER DÉCIMÉE PAR UNE TORNADE MYSTÉRIEUSE), mais c'était peu probable.

Maman était une Rowanwand. Selon ce que Hunter avait dit à l'occasion des cercles, je savais que les Rowanwand avaient, en général, la réputation d'être de « bonnes sorcières ». Elles étaient dédiées au savoir, elles venaient en aide à d'autres sorcières, elles avaient toutes juré de ne pas faire appel au mal, de ne pas s'engager dans des guerres entre les clans. Cela ne correspondait pas du tout à moi. Dédiée au savoir ? Je détestais l'école. Jurer de ne faire aucun mal ? J'avais l'impression de me montrer âpre envers quelqu'un toutes les dix minutes. Ainsi, je ne me sentais pas très Rowanwand. Ce qui était une bonne chose, selon moi.

Peut-être qu'être une sorcière était un peu comme un gène récessif qui devait être transmis par les deux parents afin d'entrer en force. Ce serait génial. J'ai poussé un grand soupir en me sentant déjà soulagée. Comme papa était normal, peut-être étais-je seulement *porteuse* du gène de sorcière, mais qu'il n'allait pas s'exprimer. J'ai froncé les sourcils en me remémorant mon cours de biologie du semestre précédent. Les pois et les mouches à fruits me sont venus à l'esprit, mais qu'en était-il des gènes récessifs de sorcière ? Ou était-ce même un gène ? Mais qu'est-ce que ça pouvait être d'autre ?

J'ai grogné en m'appuyant contre mes oreillers. Maintenant, j'avais réellement mal à la tête. Je suis allée prendre un médicament dans la salle de bain, et au moment où je retournais au lit, j'ai entendu la porte d'entrée se refermer au rez-de-chaussée. À bout de nerfs, j'ai poussé les lettres et le livre sous mes couvertures pour prendre *Les Sorcières de Salem*, qui, de façon ironique, était inscrit au programme d'anglais de secondaire 4.

Je venais de décider de trouver le guide d'étude pour ce livre quand Hilary a passé la tête par la porte de ma chambre que j'avais *oublié de verrouiller*. Elle portait un plateau sur lequel elle avait déposé un sandwich débordant de luzerne et une pile de magazines pour ado contenant des articles comme « T'es-tu remise de ta dernière rupture ? Réponds à notre jeu-questionnaire pour le savoir ! »

Pour celles d'entre nous qui seraient trop stupides pour le deviner par elles-mêmes.

— Alisa ? J'ai pensé que tu avais peut-être faim. Quand j'étais malade, ma mère m'apportait toujours un déjeuner et des magazines amusants.

— Oh, merci, ai-je dit sans trop d'enthousiasme.

Au risque d'énoncer l'évidence, tu n'es pas ma mère.

— Je préfère vraiment qu'on me laisse seule, par contre.

Son visage s'est défait, et j'ai immédiatement ressenti une pointe de culpabilité.

— Je sais que je ne suis pas ta maman, a-t-elle avec une souffrance évidente dans la voix. Mais est-ce que ça serait si difficile pour nous de devenir amies? Bientôt, nous serons parentes. Je veux dire, que ça te plaise ou non, Alisa, ton père et moi allons nous épouser, et le bébé que je porte sera ton demi-frère ou ta demi-sœur.

Elle a déposé le plateau sur mon lit, et à ce moment-là, mon lecteur CD s'est ouvert bruyamment. J'ai senti l'odeur de circuits électriques qui brûlaient et j'ai bondi pour le débrancher. Il était pratiquement neuf! Pourquoi tout s'autodétruisait-il autour de moi? Hilary m'a jeté un regard de patience à toute épreuve avant de pivoter sur elle-même pour sortir de la pièce en claquant la porte.

J'ai baissé les yeux sur la fiche dans mes mains en commençant à me sentir comme une force de destruction sur pattes :

quelques jours plus tôt, c'était le beurrier chez Mary K., puis mon coffre à bijoux et maintenant le lecteur CD...

Oh mon Dieu. Mon souffle s'est figé dans ma gorge. Je me suis levée comme un piquet, pétrifiée par une pensée soudaine. Je venais de lire à propos de ce genre d'incidents dans le journal de maman. Quand elle avait été plus jeune, elle avait provoqué d'étranges incidents télékinésiques : des objets tombaient des étagères, des radios cessaient de fonctionner, des klaxons de voiture résonnaient sans arrêt. Elles ne pouvaient pas porter de montre ; moi non plus, d'ailleurs. Les piles se vidaient instantanément.

Ma respiration était très superficielle à mesure qu'une prise de conscience déferlait en moi comme une vague d'eau glacée. J'ai fait l'inventaire de tous les trucs étranges qui étaient survenus autour de moi au cours des deux derniers mois. Les objets qui s'étaient brisés. Les objets qui étaient tombés de tablettes. Les objets qui avaient cessé de fonctionner. J'avais été si convaincue que tout ceci avait été provoqué par Morgan et ses pouvoirs effrayants.

Les ampoules électriques qui avaient explosé lors de notre cercle. L'étagère tombée à la bibliothèque. Et certains incidents avaient eu lieu en l'absence de Morgan. Comme mardi dernier, celui du coffre à bijoux. J'ai eu l'impression d'être une aveugle qui recouvrait soudain la vue.

Crash! Pop!

Je me suis tournée pour voir ma collection d'animaux de cristal tomber de sa tablette, un par un, pour se fracasser sur le sol. *Arrêtez!* ai-je pensé avec désespoir, et une petite licorne a vacillé sur le bord de la tablette sans tomber.

Oh mon Dieu, oh mon Dieu, oh mon Dieu. J'ai regardé les animaux fracassés d'un air hébété avant de lever les yeux sur ce qu'il restait de ma collection. La tablette semblait parfaitement solide. À moins qu'il y ait eu un tremblement de terre minuscule et imperceptible à Widow's Vale, je devais faire face à une vérité terrible.

C'était *moi*. J'avais provoqué cet incident. J'avais causé l'autodestruction du lecteur CD. J'avais fait bondir mon coffre à bijoux de ma commode. Pourquoi tout ceci ne me semblait-il pas plus bizarre ? Je veux dire : étais-je si douée pour me mentir ? Pendant tout ce temps, j'avais jeté le blâme sur Morgan et je l'avais évitée parce qu'elle me faisait peur et que je détestais ce que ses pouvoirs provoquaient, selon moi.

Mais c'était *moi* la responsable : moi et le gène de sorcière hérité de ma mère. Comme maman, j'étais un cauchemar télékinésique ambulant. Mon Dieu, ma mère avait été une sorcière de sang à part entière et malgré tout, elle était incapable de contrôler ses pouvoirs. Qu'allait-il *m'*arriver ?

Thalia Cutter habitait sur l'avenue Montpelier. Papa m'y a reconduite le samedi soir. Je ne lui avais pas mentionné qu'il s'agissait d'un cercle, et il n'avait pas posé de questions. Il m'avait fallu toute la journée pour me préparer à y aller. Mais au bout du compte, j'ai accepté qu'il s'agissait probablement du seul endroit où j'allais obtenir de l'aide ou de l'information.

— Merci, papa, ai-je dit en ouvrant ma portière.

— Appelle-moi quand tu voudras que je vienne te prendre, a-t-il dit.

— OK. Ou peut-être qu'un ami pourra me reconduire.

— Alisa...

Il s'est penché vers moi, mais s'est arrêté, comme s'il avait changé d'idée.

— Amuse-toi bien.

— Merci.

Je l'ai quitté pour me diriger vers le porche avant, où j'ai appuyé sur la sonnette.

— Alisa ! Entre, a dit Jenna en ouvrant la porte.

— Allô.

J'avais toujours bien aimé Jenna : elle était si gentille.

D'autres personnes m'ont saluée : Ethan Sharp, qui avait déjà été l'un des gros consommateurs de marijuana de l'école, Simon Bakehouse et Raven Meltzer, qui faisaient partie, comme moi, de l'assemblée originale de Kithic. Raven me fait vraiment rigoler. Je jetais mon manteau sur un sofa quand j'ai senti un picotement à la base de ma nuque. En me retournant, j'ai vu Hunter Niall et Morgan entrer ensemble.

C'était un fait : Hunter était *séduisant*, même s'il était de quatre ans mon aîné, en plus d'être une sorcière et le petit ami de Morgan. Malgré tous ces inconvénients, il faisait tourner de nombreuses têtes quand il entrait dans une pièce. Bien que ce soir-là, il semblait à la fois avoir la gueule de bois et lutter contre un virus, un frisson m'a parcourue quand il m'a vue et est venu immédiatement à ma rencontre.

— Hé, Hunter, ai-je dit.

— Allô, a-t-il dit en se penchant pour me parler.

Je n'ai pas la taille d'une crevette, mais il mesure plus d'un mètre quatre-vingt.

— Morgan m'a parlé de ta découverte.

Il s'est interrompu pour me faire un grand sourire capable de faire fondre toute la glace en Alaska. C'est un type plutôt sérieux, alors quand il sourit, tout le monde ressent des faiblesses aux genoux. Ou du moins, je présume ne pas être la seule.

— Je te féliciterais, mais il semble bien que tu ne voies pas les choses de cet angle.

Les joues brûlantes, j'ai détourné le regard.

— Non.

Il a tout de suite pris un air grave et s'est penché vers moi afin que je sois la seule à l'entendre.

— Je sais que tu as dû vivre un choc et je comprends comment tu t'es sentie dernièrement au sujet de la magye et des sorcières. J'aimerais bien en parler avec toi, essayer de t'aider, si c'est possible.

J'ai hoché la tête.

— Merci.

Je me suis tenue parfaitement immobile en attendant qu'un cadre tombe du mur, qu'une porte s'ouvre avec grand fracas ou qu'une fenêtre se brise. Il n'est rien arrivé, et j'ai retenu mon souffle, déterminée à demeurer très, très calme ce soir-là.

Hunter est retourné aux côtés de Morgan, et j'ai constaté qu'elle n'avait pas l'air en grande forme elle non plus. Ils devaient s'échanger leurs microbes. Beurk.

— Nous pouvons commencer, a dit Hunter. Je pense que tout le monde est arrivé. Y a-t-il des choses à régler d'abord ? Je pense que Simon s'est porté volontaire pour accueillir le cercle de samedi prochain, n'est-ce pas ? Bien. OK. Ce soir, nous allons parler un peu de la magye.

Hunter s'est agenouillé pour dessiner un grand cercle sur le sol du salon de Thalia. Il commençait toujours les rencontres en esquissant un cercle, mais cette fois-ci, il a ajouté un cercle autour du premier, puis un autre. Puis, il a sorti un petit sac en toile rempli de pierres de différentes couleurs qu'il a déposées à l'extérieur du cercle. Il s'est levé et a pointé vers la petite «porte d'entrée» qu'il avait prévue, et une fois que nous nous sommes tous retrouvés à l'intérieur du plus petit cercle, il a fermé les cercles avec sa craie, des pierres et aussi des runes qu'il a dessinées dans les airs. Je me suis demandé ce qui se passait.

— Maintenant, parlons de magye, a-t-il dit en essuyant la poussière de craie de ses mains.

Il avait le teint pâle et semblait fatigué.

— En gros, la magye est de l'énergie, la force vitale, le chi, peu importe le nom que vous lui donnez. La magye qui fait éclore une fleur, qui produit le fruit d'un arbre, qui fait naître un bébé est la même magye qui peut allumer spontanément un feu, déplacer des objets et travailler de façon invisible dans l'Univers afin d'opérer des changements — par exemple : un sortilège de protection, un sortilège de fertilité ou un sortilège de guérison. À présent, puis-je connaître vos impressions sur la magye ?

Il a hoché la tête du côté de Sharon Goodfine.

Elle a froncé pensivement les sourcils, et ses cheveux sombres et lustrés ont effleuré ses épaules.

— À mes yeux, la magye est un potentiel, la possibilité d'accomplir quelque chose.

— Voilà une belle pensée, a dit Hunter. Thalia?

— C'est cool, voilà tout, a-t-elle répondu en haussant les épaules. La magye est différente, hors de l'ordinaire.

Ethan a dit :

— C'est comme un type de contrôle différent, une autre façon de maîtriser les choses.

— C'est être lié à la force vitale, a indiqué Jenna.

— C'est beau, a affirmé Bree.

Morgan était la suivante.

— C'est... une autre dimension de la vie, une signification qui s'ajoute à la vie ordinaire. C'est un pouvoir et une responsabilité.

Hunter a hoché la tête de nouveau.

— Robbie?

— C'est mystérieux, a dit Robbie.

— Et toi, Alisa? a demandé Hunter.

— C'est effrayant, ai-je dit brusquement en songeant à ma propre expérience.

Dès que j'ai fait cette affirmation, toutes mes émotions ont remonté à la surface.

— C'est incontrôlable. C'est dangereux. C'est horrible, c'est comme porter une erreur génétique. Impossible de savoir quand la magye détruira ta vie.

J'avais serré les poings, et ma mâchoire était raide. J'ai compris que le silence m'entourait et j'ai levé les yeux pour surprendre onze paires d'yeux qui m'observaient. Neuf paires étaient surprises. Hunter était calme, ouvert. Morgan affichait un air compréhensif.

— Oh. Ai-je dit tout ça à voix haute ? ai-je demandé, embarrassée.

— Il n'y a pas de soucis, a dit Hunter. Chaque personne voit la magye différemment. Je comprends comment tu te sens.

Il s'est tourné vers les autres.

— Bon, comme nous avons des pierres de protection, je ne ferai pas appel à la terre, à l'air, au feu ou à l'eau. Mais je jette ce cercle au nom de la Déesse et de Dieu et leur demande de se joindre à nouveau à nous afin de bénir notre pouvoir ce soir. Joignez les mains.

J'ai pris les mains de Simon et de Raven en sentant une catastrophe imminente. Si, pendant que je me trouvais dans ce cercle, ma magye se décuplait, qu'arriverait-il? Qu'allais-je détruire?

Lentement, nous avons commencé à tourner dans le sens des aiguilles d'une montre. Hunter s'est mis à chanter. Sa chanson était d'une beauté incroyable et facile à suivre, si bien que bientôt, nous nous sommes tous joints à lui. C'était un peu comme du Prozac musical, car je me suis rapidement sentie plus calme et joyeuse que je ne l'avais été depuis un moment. J'ai eu le sentiment que tous ceux qui se trouvaient là étaient mes amis, que j'étais en sécurité, que nous chantions l'air le plus magnifique, que j'étais remplie d'une lumière qui rendait mes problèmes supportables.

Je traitais ces émotions quand j'ai soudain compris qu'il s'agissait là de magye également. C'était une magye positive et douce. À mesure que le chant s'élevait et grandissait, je me suis sentie de mieux en mieux. Même en essayant d'être préoccupée parce qu'il s'agissait de magye, je n'en étais pas capable. Je savais que c'était étrange, mais c'était aussi bien. Quand nous avons relâché nos mains pour lever les bras vers le ciel, j'affichais un grand sourire ; je me sentais libérée et ouverte plutôt que tendue et bouleversée.

Notre cercle s'est alors brisé, et les gens s'étreignaient et se donnaient des tapes dans le dos. Morgan s'est approchée de moi pour me prendre la main. Elle a posé sa paume sur la mienne et l'a maintenue dans cette position un moment. Elle a regardé sa main, et j'ai senti une douce chaleur. J'ai retiré ma main pour voir une rune rose imprimée sur ma peau.

J'ai pris sa main pour regarder sa paume. Elle ne contenait rien. J'ai frotté ma main pour comprendre que la rune était *surélevée* : ma *peau* s'était gonflée comme si j'avais une cicatrice. Je l'ai fixée du regard, et Morgan m'a fait un petit sourire.

— C'est Wynn, a-t-elle dit. Joie. Paix.

En voyant mon expression, elle a ajouté :

— La rune s'effacera dans peu de temps. Ce n'est qu'un petit cadeau à rapporter de ce cercle.

Elle est partie rejoindre Hunter, et j'ai regardé ma main de nouveau. Il y avait une trace de magye visible, sur moi. Paix et joie. Parlait-elle de la rune ou des émotions réelles aussi ?

7

Morgan

« La première fois que j'en ai vu une, je me trouvais en Écosse. Je n'y avais pas pris part, bien entendu : je n'étais pas encore assez forte. Mais je l'ai observée depuis une certaine distance pendant qu'elle déferlait sur la campagne pour expier tout ce qui n'était pas pur. J'ai presque pleuré devant cet évènement glorieux. »

— Molly Shears, Irlande, 1996

Le dimanche, je me suis rendue à l'église avec ma famille même si je me sentais vraiment malade. Par la suite, nous sommes allés au Widow's Diner où je n'ai réussi à prendre que quelques bouchées de mon sandwich bacon, laitue, tomate.

De retour à la maison, j'ai avalé un médicament contre les allergies/infections des sinus, je me suis changée, j'ai attrapé mes clés et j'ai annoncé en criant que j'allais chez Hunter. Quand Sky était partie en France, puis en Angleterre, mes parents avaient su que cela signifiait que Hunter avait la maison à lui seul. Pendant un moment, ils m'avaient jeté des regards noirs quand j'allais chez lui et quand j'en revenais. À présent que son père habitait avec lui, ils se montraient moins suspicieux. Bien entendu, ils n'avaient pas rencontré monsieur Niall et ne savaient donc pas à quel point il différait de l'image qu'ils se faisaient d'un père.

Paternelle ou pas, sa présence suffisait à ce que je me sente bizarre quand j'étais seule avec Hunter n'importe où chez lui. J'ai poussé un soupir avant de grimper à bord de Das Boot. Le temps était horrible à l'extérieur. Après quelques jours de météo printanière trompeuse, nous étions revenus en arrière : un mercure autour du point de congélation, du temps gris et une odeur de neige qui flottait dans l'air. Avant que je n'arrive chez Hunter, des gouttes de pluie minuscules et glacées ont commencé à cogner contre mon pare-brise.

— Allô, mon amour, a dit Hunter pendant que j'approchais de la porte d'entrée.

Il m'a jeté un regard critique avant d'ajouter :

— Que dirais-tu d'un bon thé chaud ?

— As-tu du cidre ? ai-je demandé. Avec des épices ? Ou du citron ?

Il a hoché la tête et je suis entrée, heureuse de voir qu'un feu brûlait dans le foyer du salon. J'ai déposé mon manteau pour me tenir devant le feu en tendant les mains. Les flammes dansantes étaient une source d'apaisement. En route vers la cuisine, Hunter s'est arrêté derrière moi pour glisser ses bras autour de mes épaules et me tenir contre lui. Je me suis appuyée sur lui et j'ai fermé les yeux en sentant sa chaleur et la force dans ses bras. Il a levé une main pour caresser mes cheveux et faire fondre les petits cristaux de glace qui s'y attardaient. Il s'est penché pour m'embrasser le cou et j'ai pivoté la tête pour lui offrir un meilleur accès. Lentement, il a déposé des baisers soigneux le long de mon cou et de ma mâchoire. Je me suis tournée vers lui pour lui faire un sourire ironique : il semblait se sentir aussi mal que moi. Il me paraissait pathétique que même si nous ne tenions pas la forme, nous avions toujours le fort désir de nous étreindre. Ses lèvres étaient très douces sur les miennes : elles bougeaient lentement, de peur d'empirer notre état.

Quand j'ai entendu les pas de monsieur Niall dans l'escalier, Hunter et moi avons défait notre étreinte pour aller vers la cuisine. Quelques instants plus tard, monsieur Niall nous y a rejoints, et Hunter a commencé à faire chauffer et à épicer du cidre sur la cuisinière. Abattue, j'ai pris place à la table en posant ma tête, qui faisait horriblement mal, dans mes mains.

— Pourquoi nous sentons-nous aussi mal ? ai-je demandé.

Monsieur Niall était pâle et avait les traits tirés.

— C'est l'effet de la vague sombre qui s'en vient, a dit le père de Hunter sans énergie. Elle n'est même pas encore en vigueur, mais les sortilèges qui servent à l'invoquer ont commencé, et le lieu et les gens ont été ciblés. Elle ne tardera plus maintenant. C'est une question de jours.

— Oh, Déesse, ai-je marmonné en sentant une nouvelle vague d'alerte parcourir mes veines.

— Nous nous sentirons de plus en plus malades à mesure que la vague sombre approche, en plus d'être plus irritables. Ce qui est malheureux, car il nous faudra plus que jamais unir nos efforts.

Hunter a soupiré.

— As-tu parlé à Alyce ce matin ? a-t-il demandé à son père, et monsieur Niall a hoché la tête.

— Les membres de Starlocket et elle dirigent des cercles de pouvoir et ciblent leur énergie vers Widow's Vale et Kithic, en particulier. Ils espèrent pouvoir nous aider dans la mesure du possible, mais il y a si peu de preuves documentées de quiconque ayant résisté à une vague sombre.

Il a passé une main osseuse aux longs doigts sur son visage.

— Avez-vous fait des progrès? ai-je demandé.

Il a poussé un grand soupir, et ses épaules se sont affaissées.

— Je travaille jour et nuit. D'une certaine façon, je fais des progrès. Je conçois la forme du sortilège, son ordre, ses mots. Mais il serait beaucoup plus fort si je pouvais le rendre plus spécifique. Si seulement je disposais de plus de temps.

J'ai levé les yeux pour croiser le regard de Hunter. Je savais que nous ressentions le même désespoir, la même frustration : si seulement nous étions en mesure d'aider monsieur Niall ou d'activer le processus. Mais nous étions impuissants : il ne nous restait qu'à espérer que son père puisse relever ce défi.

— Que voulez-vous dire par « le rendre plus spécifique » ? ai-je demandé alors que Hunter déposait devant moi une tasse de cidre dont j'ai respiré le contenu.

L'odeur épicée du gingembre et de la cannelle est montée vers moi. J'ai bu en sentant la chaleur du liquide soulager mon estomac.

— Il s'agit d'un sortilège de base, a dit monsieur Niall d'un ton frustré. Il est conçu pour couvrir un endroit donné, à un moment donné et d'une manière donnée. Son objectif est de combattre une vague sombre et de la démanteler. Mais il serait beaucoup plus puissant si je pouvais utiliser quelque chose qui soit spécifique à son créateur.

— Qu'est-ce que ça ferait?

J'avais besoin d'une débarbouillette froide pour me rafraîchir le front.

— Les sortilèges sont aussi personnels que l'apparence d'une personne, que ses empreintes digitales, a expliqué Hunter. Si tu essaies de défaire ou de repousser le sortilège d'une autre sorcière, le pouvoir de ton sortilège sera grandement décuplé si tu es en mesure de l'imprégner de quelque chose qui identifie le créateur de sortilège que tu affrontes. Voilà pourquoi, dans un sortilège, nous avons si souvent besoin d'articles comme une mèche de cheveux ou le vêtement de la personne visée. Ceci donne une cible précise au sort.

— C'est un peu comme utiliser une flèche plutôt qu'un gourdin, a indiqué monsieur Niall.

Je suis restée assise un moment à réfléchir. Je ne possédais aucune mèche de cheveux ni aucun vêtement de Ciaran. J'avais l'impression que ma tête était fragile, faite de porcelaine brisée et recollée maladroitement. C'était tout un défi de réunir mes pensées.

Un instant. J'ai frotté mes yeux pour attraper une pensée insaisissable… Je possédais quelque chose qui appartenait à Ciaran. À mes yeux, l'objet ne lui appartenait plus : il était entièrement le mien. Mais il avait déjà été sa possession. Il l'avait manipulé. J'ai vidé ma tasse d'un trait et je me suis levée en sentant chaque muscle me tenailler.

— Je reviens, ai-je dit, et je suis partie avant que Hunter ou monsieur Niall puisse ouvrir la bouche.

Il tombait toujours une pluie maussade quand je me suis glissée derrière le volant de ma voiture. À l'intérieur, les sièges en vinyle étaient glacés, et j'ai immédiatement allumé le chauffage au maximum. Je suis sortie de la cour de Hunter pour prendre la route qui me ferait sortir de la ville.

Widow's Vale était entourée par ce qui avait été autrefois des champs agricoles prospères, mais il ne restait plus que quelques domaines familiaux, flanqués de tous les côtés par des champs abandonnés, des vergers envahis par les herbes et des boisés de seconde venue.

J'avais un endroit à moi ici ; une parcelle de boisé sans aucune marque physique que je reconnaissais tout de même au premier coup d'œil, comme si une grande flèche avait été peinte sur une rangée de troncs. Je l'ai trouvé. Je me suis garée sur l'accotement en sentant que sous la voiture, la bordure en gravier était couverte de glace et glissante. Je suis sortie de la voiture à contrecœur en quittant la chaleur douillette pour affronter la pluie glacée mordante et hostile.

J'ai relevé mon collet aussi haut que possible pour me diriger tout droit vers le champ aux pousses flétries. À la première clairière, je me suis arrêtée un moment avant d'avancer directement vers deux hêtres. Cet endroit appartenait à moi seule. Je n'y sentais la présence d'aucun autre humain, sorcière ou non. Je me sentais davantage en sécurité ici que dans la ville.

Dans les bois, il n'y avait aucune voie, aucun sentier délimité, mais j'ai avancé péniblement, de façon continue, pour gagner infailliblement le lieu qui portait mon sortilège et renfermait mon secret. Cela nécessitait une bonne marche de dix minutes : mes bottes glissaient sur les feuilles mouillées en décomposition et les petites branches toujours sans bourgeons me fouettaient le visage ou se prenaient dans mes cheveux.

Puis, j'ai abouti dans une petite clairière, où j'ai levé le visage vers une parcelle de ciel plombé. L'objet était là, toujours là, et même si des animaux s'étaient aventurés ici et y avaient laissé un certain nombre de pistes, aucun être humain n'y était venu depuis ma dernière visite. J'ai marqué une pause. J'ai fermé les yeux et projeté mes sens avec force en prenant mon temps, en tâtant lentement pour sentir les battements de cœur surpris de petits animaux, des oiseaux trempés et, plus loin, l'œil immobile et méfiant d'un cerf de passage. Enfin, j'ai eu la certitude que j'étais seule et j'ai avancé dans la clairière pour m'agenouiller sur la litière détrempée de la forêt.

Je n'avais apporté aucune pelle, mais à bord de Das Boot se trouvaient un cric et un pied-de-biche, et c'est le pied-de-biche que j'ai utilisé pour gratter le sol froid et le retourner. Il n'a fallu que peu de temps. J'ai senti des couches de sortilèges amateurs se suivre : le mieux que j'avais pu faire à l'époque. Puis, quand j'ai senti que j'approchais du but, j'ai creusé la terre de mes doigts. Un autre cinq centimètres et mes doigts ont touché un linge mouillé. J'ai enlevé la terre qui l'entourait pour tirer un ballot de soie. Je n'ai pas défait le nœud qui tenait le foulard autour de son contenu : ce n'était pas nécessaire. J'ai plutôt replacé la terre dans le trou à coups de pied avant d'y saupoudrer des feuilles, des aiguilles de pin et des brindilles jusqu'à ce la zone paraisse de nouveau intouchée. J'ai ramassé mon pied-de-biche et, en serrant le ballot de soie froid et humide, j'ai regagné ma voiture.

— Où es-tu allée? a demandé Hunter quand je suis revenu. Où étais-tu? J'étais mort d'inquiétude. Ne pars jamais comme ça sans m'avertir, d'accord?

— Je suis désolée.

J'étais encore transie, et mes ongles étaient sales et brisés. Les explications paraissaient trop difficiles quand ma course avait nécessité tant d'efforts. Je me suis plutôt dirigée vers la salle des cercles où monsieur Niall était agenouillé sur le sol, entouré de papiers, de livres et de bougies. Il m'a sentie arriver et a levé les yeux.

Je me suis agenouillée à ses côtés; les genoux de mon jean étaient trempés.

— Voilà, ai-je dit en sortant le colis emballé de soie de la poche de mon manteau.

Mes doigts étaient raides et froids, mais j'ai réussi à défaire le nœud, et le linge s'est ouvert. J'ai avancé la main pour prendre le seul objet de Ciaran que j'avais en ma possession : une magnifique montre de poche en or, gravée de ses initiales et de celles de ma mère. Ce n'était pas tout : elle était ensorcelée afin de contenir l'image de Maeve, ma mère. Être en mesure de voir le visage de ma mère était un cadeau. À mes yeux, il s'agissait d'un rappel concret de la relation qui avait existé entre mes parents biologiques, la seule chose qui était une partie de chacun d'entre eux. Comme ma mère était morte, le sortilège contre Ciaran ne pourrait pas rebondir sur elle. Mais je pouvais sentir les vibrations de Ciaran partout sur la montre.

Quand monsieur Niall a avancé le bras, je me suis surprise à retirer le mien. Embarrassée, j'ai poussé de nouveau la montre vers lui. Elle lui serait beaucoup plus utile qu'à moi. Peut-être était-il préférable de ne garder aucun souvenir d'un amour qui s'était terminé de façon aussi tragique, et ce, même si le même amour avait débouché sur ma naissance. J'ai soudain été frappée par une prise de conscience : la relation de mes parents était la quintessence de la magye, l'ombre et la lumière. Un grand, grand amour et une grande, grande haine. La passion, à la fois bonne et mauvaise. Une union puissante, suivie d'une déchirure irrévocable. La rose et ses épines.

— Elle appartenait à Ciaran, ai-je expliqué en l'offrant à monsieur Niall.

J'ai obligé ma main à demeurer ouverte pendant qu'il prenait la montre.

— Quand l'as-tu récupérée? a demandé Hunter d'un ton surpris.

— Lors de la dernière visite de Ciaran, ai-je expliqué en me sentant très fatiguée.

— Et tu l'as gardée?

Hunter ne savait que trop bien comme il était dangereux de posséder quelque chose d'une personne souhaitant nous contrôler.

— Oui. Elle appartenait à ma mère.

J'étais consciente que j'étais sur la défensive. J'avais caché ce secret, même à Hunter.

— Je l'ai enterrée à l'extérieur de la ville. J'allais la laisser là jusqu'à ce qu'elle soit purifiée, que toute l'énergie sombre se soit dissipée. Pendant des années.

Monsieur Niall examinait la montre et la retournait dans sa main.

— Elle me sera utile, a-t-il dit comme à lui-même avant de lever les yeux. Mais en es-tu certaine? Elle sera complètement détruite, tu sais.

J'ai hoché la tête en regardant la montre.

— Je sais. Ça me va. Je n'en ai plus besoin.

Malgré tout, même en prononçant ces paroles, j'ai senti la perte en moi. Un frisson m'a parcourue; un vestige du froid à l'extérieur.

Quand j'ai levé les yeux, monsieur Niall m'observait.

— Cette montre m'aidera, a-t-il dit. Merci.

Ses yeux m'ont regardée comme si c'était la première fois. J'ai eu le sentiment que je venais de grimper de quelques crans dans son estime.

— OK. Eh bien, je ne resterai pas dans votre chemin, ai-je dit en me levant.

Dans la cuisine, je me suis lavé les mains en les savonnant encore et encore en les tenant sous l'eau chaude comme si je voulais effacer plus que la terre. Puis, je me suis dirigée vers le salon pour m'affaler sur le sol devant le foyer. Hunter s'est assis près de moi, et bientôt, j'ai eu assez chaud pour enlever mon manteau. Nous avons reculé jusqu'à ce que nous puissions nous adosser contre le sofa, et j'ai posé la tête sur son épaule. Doucement, Hunter m'a soulevée pour m'asseoir de côté sur ses jambes. Entourée de ses bras, je me sentais incroyablement en sécurité et au chaud. J'étais si heureuse d'être là que je me foutais que monsieur Niall nous surprenne.

— Merci d'avoir fait ce sacrifice, a murmuré Hunter à mon oreille. Pourquoi ne m'en as-tu pas parlé?

J'ai haussé les épaules, car je ne le savais pas trop moi-même.

— Je savais que je n'allais pas m'en servir avant des années.

Il a hoché la tête avant d'embrasser mon oreille.

— Je sais ce qu'elle doit signifier pour toi.

— Elle n'importe pas davantage que ma vie et la tienne, celle de ma famille et de mes amis, ai-je dit en fermant les yeux et en me pelotonnant contre lui.

— Morgan, a-t-il dit à voix basse.

J'ai senti ses doigts glisser sous mon menton pour soulever mon visage et lui permettre de m'embrasser. C'était si bon, si bien, et tout le reste s'est évanoui : mes inquiétudes, mon malaise physique, la tristesse de perdre ma montre. Depuis le retour de Hunter du Canada, nous n'avions pas passé beaucoup de temps seuls. J'avais été préoccupée par ma vision — Hunter et la sorcière canadienne — et, parfois, je manquais d'assurance ou je sentais que le courant ne passait pas avec lui. Mais à cet instant, toutes ces émotions ont disparu, et encore une fois, j'ai senti cette excitation, l'élan de désir qui faisait trembler mon corps.

Nous nous sommes serrés fort et embrassés, et je le connaissais maintenant assez bien pour que cet élan s'accompagne aussi d'une familiarité. Je me suis souvenue de notre dernière soirée avant son départ pour le Canada. J'avais planifié faire l'amour avec lui pour la première fois. J'avais commencé à prendre la pilule anti-conceptionnelle parce que je ne savais pas comment la sorcellerie contraceptive fonctionnait. Je m'y étais préparé, j'avais rasé mes jambes et tout le bazar. Et nous avions presque fait l'amour. Nous nous en étions tellement approchés. Puis, Hunter m'avait convaincue d'attendre qu'il revienne du Canada pour éviter que nous nous quittions tout de suite après avoir fait l'amour. Bien entendu, nous ne pouvions pas savoir qu'il allait revenir avec son père et que nous allions presque immédiatement être menacés par une vague sombre.

J'ai agrippé le collet de Hunter d'une main pour le tirer plus près et l'embrasser avec fougue tout en sentant ses doigts se serrer autour de ma taille. Hunter, ai-je pensé. Je veux m'unir à toi. Allons-nous y arriver un jour? Ou allons-nous mourir avant d'en avoir l'occasion?

8

Alisa

« Ce soir, nous avons ouvert une fissure dans le monde, dans le temps, dans la vie. Je suis tombée à genoux d'adoration pendant que la source de notre pouvoir s'élevait au-dessus de ma tête. Je ne pouvais que regarder avec émerveillement le chef de mon assemblée appeler le pouvoir sombre, droit devant nous. Chaque jour, je remercie la Déesse d'avoir trouvé cette assemblée, Amyranth. »

— Melissa Felton, Californie, 1996

— Alisa, est-ce que ça va ?

J'ai brusquement levé la tête pour apercevoir les grands yeux bruns de Mary K. qui m'observaient avec inquiétude. C'était un lundi après l'école et nous étions affalées dans la chambre de Mary K. pour écouter de la musique et faire nos devoirs (disons).

— Je vais bien, ai-je répondu en secouant la tête. C'est seulement que tout me tombe dessus au même moment. Ça me donne des maux de tête.

Mary K. a hoché la tête avec empathie.

— Tout le monde souffre de maux de tête dernièrement. Ça doit être à cause du temps qu'il fait.

J'étais si heureuse qu'elle soit mon amie. Ma meilleure amie était déménagée à la fin de l'été dernier et, même si elle me manquait toujours, être l'amie de Mary K. m'aidait beaucoup.

— Comme le mariage et le projet de monsieur Herbert pour l'exposition scientifique ? a-t-elle demandé.

— Ouais.

Oh, et le fait que j'étais une demi-sorcière. Ça aussi. Je n'avais rien dit à Mary K. à ce sujet. Je savais que ça l'ennuyait encore de savoir que Morgan s'intéressait à la Wicca et je n'étais pas encore prête à tester sa réaction.

— As-tu des idées pour le projet scientifique?

J'ai réfléchi un moment.

— Peut-être un modèle du système digestif de taille réelle, fait en argile?

Mary K. a ricané.

— Amusant. Je songe à faire quelque chose avec les plantes.

— Peux-tu être plus précise?

Ses cheveux brun roux brillants ont bondi pendant qu'elle secouait la tête.

— Je n'ai pas encore pensé aux détails.

Nous avons ri toutes les deux, puis j'ai tiré vers moi la boîte de biscuits des éclaireuses pour m'en servir un au chocolat et à la menthe.

— As-tu des nouvelles au sujet du mariage?

J'ai fermé les yeux devant les souvenirs douloureux.

— Pour l'heure, la robe choisie pour la bouquetière est vert émeraude, ce qui me donnera à peu près l'air d'une personne mourant de la jaunisse, et elle est munie d'une boucle énorme sur le derrière.

Comme pour dire : « Regardez mes grosses fesses, tout le monde, si vous ne les aviez pas déjà vues ! »

— Je n'arrive toujours pas à croire que tu sois la *bouquetière*, a dit Mary K. en riant et en tombant à la renverse sur son lit, ce qui m'empêchait de demeurer aigrie.

— Mon plan de secours est de me casser la jambe le matin de la cérémonie, lui ai-je dit. Alors je t'apporterai bientôt un bâton de baseball, au cas où.

J'ai retourné mon attention à mes problèmes d'algèbre. J'étais douée pour les arts, mais tous ces petits chiffres qui sautillaient sur la page me laissaient de glace.

— Qu'est-ce que tu as obtenu pour l'équation du problème numéro sept ? ai-je demandé en tapotant mon crayon contre mes dents.

— Un gros rien du tout. Peut-être devrions-nous demander l'aide de Morgan ?

— Je vais aller la chercher, ai-je dit avec nonchalance en me levant.

J'ai perçu une légère surprise dans les yeux de Mary K. de me voir me porter volontaire pour parler à la reine des sorcières.

— Où est-elle?

— Dans sa chambre, je crois.

Les chambres de Mary K. et de Morgan étaient liées par la salle de bain qu'elles partageaient. La porte vers la chambre de Morgan était entrouverte, et j'y ai cogné.

— Morgan?

— Oumph? ai-je entendu en guise de réponse, et j'ai poussé la porte.

Morgan était étendue sur son lit avec une débarbouillette mouillée drapée sur le front. Ses longs cheveux étaient étalés vers le côté du lit. Elle avait un air terrible.

Quand je me suis approchée du lit, elle a marmonné :

— Alisa? Qu'est-ce qu'il y a?

Elle n'avait pas ouvert les yeux, et cette preuve de ses aptitudes de sorcière me rendait un peu nerveuse.

— Comment fais-tu cela? ai-je demandé à voix basse. Tu peux sentir l'énergie d'une personne ou quoi? Ou mon aura?

Mes paroles lui ont fait ouvrir les yeux et carrer son oreiller sous sa tête pour lui permettre de me voir.

— Je t'ai reconduite après l'école alors je savais que tu étais ici. J'ai entendu quelqu'un ouvrir la porte et entrer dans ma chambre. Je savais que ce n'était pas *moi*. Mary K. a des mouvements plus vifs et fait donc plus de bruit. Il ne restait que toi.

— Oh, ai-je dit en rougissant.

— Parfois, un chat est un chat, a-t-elle dit.

Je n'avais aucune idée de ce que ça voulait dire.

— Quoi qu'il en soit, Mary K. et moi avons maille à partir avec un problème d'algèbre. Peux-tu nous aider? Si tu es suffisamment en forme, je veux dire.

Elle avait l'air réellement malade.

— As-tu une grippe ou quoi? Pourquoi t'es-tu présentée à l'école?

Morgan a secoué la tête et s'est assise très lentement, comme une vieille dame.

— Non, ça va.

— Hunter est malade, lui aussi. Pourquoi n'es-tu pas restée à la maison?

— Je vais bien, a-t-elle dit, ce qui était un mensonge évident. Comment *te* sens-tu?

— Euh, j'ai un petit mal de tête. Mary K. croit que c'est dû au mauvais temps.

Nos regards se sont croisés alors, et je jure que Morgan avait l'air de vouloir me dire quelque chose, de s'apprêter à me dire quelque chose.

— Quoi? ai-je demandé.

Morgan s'est levée, a tiré sur son pull molletonné et a rejeté ses cheveux par-dessus son épaule.

— Rien, a-t-elle dit en se dirigeant vers la porte. Pour quel problème avez-vous besoin d'aide?

Il y avait quelque chose d'autre qu'elle ne me disait pas. Je le savais. Sans y réfléchir, j'ai tendu le bras pour saisir sa manche, et à ce moment précis, j'ai entendu un bruit sourd, comme celui de verre qui frapperait quelque chose. J'ai jeté un regard fou à la

ronde en me demandant ce que j'avais
détruit cette fois-ci. J'avais l'impression
qu'on m'avait jeté un mauvais sort.

— C'était Dadga, a expliqué Morgan
avec une pointe d'amusement dans la voix.

En effet, j'ai vu son petit chat gris se
remettre sur ses pattes près du lit de
Morgan. Il avait l'air endormi et irrité.

— Parfois, il roule du lit quand il dort,
a indiqué Morgan.

Frustrée, j'ai lâché sa manche pour
rouler et dérouler les doigts. Il se passait
quelque chose ; quelque chose que j'ignorais. Quelque chose que Morgan ne me
disait pas. Je me suis souvenue l'autre jour
quand Morgan était sortie en courant de la
cuisine pour parler à Hunter : elle avait
paru bouleversée. Mais à présent, son
visage était fermé, comme si elle avait tiré
une toile, et je savais qu'elle ne me dirait
rien. Nous avons gagné la chambre de
Mary K. pour retrouver l'algèbre et nous
éloigner de la magye.

Ce soir-là, j'étais couchée le dos rond
sur mon lit, occupée à remplir un jeu-

questionnaire pour évaluer si j'étais un as ou une nullité au flirt. Au moment de répondre à la question cinq, les choses ne s'annonçaient pas bien pour moi. J'ai tassé le magazine, et mon esprit est revenu à Morgan. Pour une raison que je ne m'expliquais pas, j'avais un mauvais pressentiment. J'étais convaincue que quelque chose d'étrange ou de mal se préparait, et que Morgan et Hunter le savaient, mais qu'ils n'en parlaient pas. Mais qu'est-ce que ça pouvait être ? Ils avaient tous deux l'air mal en point. Morgan avait semblé être à deux doigts de dire quelque chose ; quelque chose de difficile. Et la semaine précédente, Hunter avait littéralement fait la vigie à l'extérieur de l'école pendant toute la journée. Je ne crois pas que c'était seulement parce qu'il ne pouvait supporter d'être séparé d'elle.

Je me suis assise et ai décidé de confronter Morgan de nouveau. D'une manière ou de l'autre, j'allais l'obliger à me dire ce qui se passait, ce qui n'allait pas chez Hunter et elle. Les failles de mon plan m'ont paru évidentes de suite : (1) j'avais déjà posé la question à Morgan qui avait bien démontré qu'elle n'allait pas m'en parler, et (2) Mary K. allait se demander pourquoi je devais parler à Morgan. Et si *c'était* une affaire de sorcellerie qui se cachait derrière tout ça, je ne voulais pas m'en mêler.

Alors, comment savoir ?

Hunter.

Non. Je le connaissais, mais nous n'étions pas de bons amis. J'étais à la fois impressionnée par lui et méfiante à son sujet. Qu'allait-il penser de moi si je lui demandais de me dévoiler leur secret ? Serait-il fâché ?

Pas question d'en parler à Hunter. Mais… je n'avais pas vraiment d'autre option. J'ai fait l'inventaire des membres de Kithic dans mon esprit. Personne d'autre n'avait semblé nerveux ou malade. Seuls Morgan et Hunter ne tenaient pas la forme. Les sorcières de sang. J'ai secoué la tête. Mon cerveau y revenait sans cesse, comme dans le cas du livre vert de ma mère. J'avais la même impression maintenant.

Il fallait que je parle à Hunter.

Je n'avais pas son numéro de téléphone, mais je savais où il habitait. Mais avais-je le courage de lui demander ? Je n'avais d'autre choix. J'ai couru au rez-de-chaussée : une fille d'action. Dans le salon, je suis tombée sur Hilary qui regardait un DVD de *Sexe à New York*. Je me suis remémorée trop tard que papa assistait à une réunion syndicale au bureau de poste où il travaillait. Merde, merde, merde. J'ai croisé le regard inquisiteur d'Hilary. Il fallait que je le lui demande à elle.

— Hum, j'ai oublié mon livre d'algèbre à l'école, ai-je dit en lui offrant une prestation digne d'un Oscar (vraiment pas). Mon ami a le même livre et offre de me le prêter. Pourrais-tu m'y conduire ?

Hilary a semblé touchée que je le lui demande, et j'ai senti une pointe de culpabilité en songeant à la façon dont je la traitais normalement. J'étais bien consciente que j'allais lui en devoir une. Encore une fois, j'ai souhaité que l'État de New York abaisse l'âge du permis de conduire à, disons, quinze ans. Ainsi, je n'aurais plus à demander de faveur à quiconque.

— Bien sûr, a dit Hilary avec aise.

Elle a éteint le téléviseur et s'est levée en s'étirant. Elle m'a fait un sourire et a presque eu l'air jolie l'espace d'une demi-seconde.

— Donne-moi une minute pour aller à la salle de bain. Depuis que je suis enceinte, je dois faire pipi toutes les cinq minutes.

Comme elle tournait les talons pour sortir de la pièce à ce moment-là, elle n'a pas aperçu l'expression horrifiée sur mon visage. Oh, dégoûtant ! Pourquoi se sentait-elle obligée de me dire *ça* ?

Comme je ne suis pas une pure idiote, j'ai retenu ma langue, et quelques minutes plus tard, je l'orientais vers la maison de Hunter. Quand Hilary s'est garée derrière la voiture de Hunter, je lui ai dit :

— J'ai de la difficulté avec une section. Est-ce que ça te va si je reste une minute afin qu'il me l'explique ?

— Prends ton temps, a dit Hilary.

Elle a ouvert la radio et fermé les yeux en appuyant sa tête contre l'appuie-tête.

— Merci, ai-je dit en bondissant hors de la voiture.

Arrivée sur le porche, j'ai appuyé sur la sonnette et, après un moment, un inconnu d'un certain âge a ouvert la porte. Oh, ça devait être le père de Hunter. J'avais entendu dire qu'il était revenu du Canada pour vivre avec lui. Il ne ressemblait pas tellement à Hunter ; il semblait presque trop vieux pour être son vrai père.

— Tu es une sorcière, a-t-il dit après un moment, ce qui m'a fait sursauter.

— Euh...

J'avais été prise de court. Personne ne l'avait jamais senti auparavant. Y compris moi.

— J'obtiens une drôle de lecture, a-t-il dit en me lorgnant.

Son accent était légèrement différent de celui de Hunter, aussi.

— Papa, a fait la voix de Hunter, puis je l'ai vu se faire une place à côté de son père. Oh, allô, Alisa. Est-ce que ça va ? Es-tu venue ici seule ?

Il a jeté un regard vers la cour sombre.

— Ma future belle-mère m'a reconduite, ai-je dit en sentant une attaque de gêne et de regret me balayer. Il faut vraiment que je te parle.

— Bien sûr. Entre.

Hunter s'est tourné vers son père.

— Papa, je te présente Alisa Soto. Elle étudie à l'école et fait partie de Kithic.

J'ai remarqué que Hunter semblait se porter aussi mal que Morgan cet après-midi. On aurait dit que toutes les sorcières que je connaissais avaient contracté une pneumonie ou un virus du genre.

Monsieur Niall a regardé Hunter.

— Que se passe-t-il ? Qui est-elle ? Pourquoi dégage-t-elle cette drôle d'énergie ?

— Calme-toi, papa, a dit Hunter. Tu sens quelque chose de différent parce qu'elle est une demi-sorcière.

À la façon dont son père me regardait, j'ai eu l'impression d'être un microbe.

— Mais elle possède un pouvoir : je peux le sentir. Comment est-ce possible ? a-t-il demandé.

Hunter a haussé les épaules.

— Eh bien, elle est là. Alors, que puis-je faire pour toi, Alisa?

Malheureusement, je n'avais pas planifié ce que j'allais dire. Alors, voici ce qui est sorti de ma bouche :

— Hunter, que se passe-t-il? Pourquoi Morgan et toi avez des têtes de déterrés? Pourquoi refuse-t-elle de me dire ce qui se passe?

— Je m'en vais, a brusquement marmonné monsieur Niall en sortant de la pièce.

Étrange comportement pour un père.

Je me suis tournée vers Hunter, consciente qu'Hilary attendait dehors.

— Hunter, qu'est-ce qu'il y a?

Il a paru mal à l'aise, puis il a passé une main dans ses courts cheveux blonds, se donnant ainsi l'air d'une personne qui venait de quitter le lit.

— Comment te sens-tu? a-t-il demandé.

Je l'ai fixé du regard. Pourquoi tout le monde me posait cette question?

— J'ai un mal de tête! *Qu'est-ce qui se passe?*

— Alisa, une vague sombre est en route vers Widow's Vale, a-t-il dit doucement. Est-ce que tu sais ce que c'est ?

Une quoi ?

— Non.

— C'est... une vague, une force destructrice, a continué Hunter. Il s'agit de magye noire, un sortilège jeté par une sorcière ou un groupe de sorcières. La vague vise un village ou une assemblée donnés et, en gros, l'éradique complètement.

C'en était trop. Je ne le suivais pas.

— Mais de quoi *parles*-tu ?

— C'est un mauvais sort, a simplement dit Hunter. Très singulier. Dans le monde wiccan, il est rare de rencontrer une personne qui pratique la magye noire. Mais les sorcières noires peuvent jeter des sorts afin de tuer d'autres sorcières, de détruire une assemblée entière, voire même tout un village.

Je l'ai toisé du regard.

— Quoi... quoi...

Ce qu'il disait ressemblait au scénario d'un film mettant en vedette Bruce Willis et non à ce qui pourrait advenir à Widow's

Vale. Dans un même temps, je sentais en mon for intérieur qu'il disait la vérité. Je ne la comprenais pas, mais j'ai soudain cru que quelque chose de mal allait arriver. Quelque chose de très mal.

— C'est la raison pour laquelle Morgan et toi êtes malades ?

Hunter a hoché la tête.

— Je présume que c'est aussi la cause de ton mal de tête, mais comme tu n'es qu'une demi-sorcière, tu n'es pas aussi affectée que nous.

Il a continué d'expliquer ce que Morgan et lui avaient compris et ce que son père essayait de faire : créer un sortilège qui permettrait de dissiper une vague sombre. Et il m'a dit que la sorcière qui jetterait le sort allait probablement mourir et que son père allait s'en charger. J'étais sous le choc. Hunter affichait un air sombre, et j'étais incapable d'imaginer comment il devait se sentir.

— On dirait bien que vous êtes pas mal certains de ce que vous avancez, ai-je dit d'une voix faible.

Il a hoché la tête.

— Cette situation se développe depuis un moment.

— Es-tu certain que ton père...

— Oui. De toute évidence, j'aimerais que quelqu'un d'autre s'en occupe. Mais toute sorcière de sang risque d'en mourir, et il ne permettra pas que quelqu'un d'autre prenne le risque.

— Et un humain ne pourrait pas jeter le sortilège?

— Non. La personne doit être en mesure d'invoquer le pouvoir. Mais si elle est assez forte pour invoquer le pouvoir, cela signifie qu'elle est assez forte pour être décimée par la vague sombre.

Il semblait si frustré. J'étais désolée pour lui. Si seulement il existait une autre solution; un moyen qui permettrait à un humain de jeter le sort sans être sensible aux pouvoirs de la vague sombre. Comme si une personne...

Je me suis renfrognée devant la pensée horrible et horrifiante qui se formait dans mon esprit. Je l'ai repoussée.

— Je dois y aller, ai-je dit rapidement. Ma future marâtre m'attend.

Hunter a hoché la tête et m'a ouvert la porte.

— Les autres membres de Kithic ne savent rien de tout cela, m'a-t-il rappelé. Comme ils ne pourraient rien faire, il n'est pas utile de leur faire peur.

— OK.

Je l'ai regardé alors qu'il se tenait dans l'embrasure de la porte. Puis, je me suis détournée pour dévaler l'escalier jusqu'à Hilary, qui m'attendait dans la voiture. En réalité, j'étais heureuse de la voir.

J'ai toujours cru que les gens exagéraient quand ils parlaient d'insomnie. Mais cette nuit-là, je n'ai pas fermé l'œil. Chaque fois que je me sentais glisser vers le sommeil, je pensais : « Génial, génial : je vais dormir. » Et, bien entendu, dès que j'avais cette pensée, j'étais tout éveillée de nouveau. J'ai entendu mon père rentrer après m'être mise au lit. J'ai entendu Hilary lui demander s'il voulait manger quelque chose. Je me suis souvenue que, avant l'arrivée d'Hilary, je lui laissais quelque chose à manger quand il rentrait tard d'une réunion.

Pendant douze ans, ça avait été papa et moi, et une suite d'aides ménagères. À l'âge de dix ans, j'étais capable de préparer mon dîner, de faire la lessive, de planifier les repas de la semaine. Je croyais plutôt bien me débrouiller, mais à présent, j'avais été remplacée.

Après qu'ils soient allés au lit, la maison était calme, sans être silencieuse. J'ai écouté le cycle thermodynamique s'allumer et s'éteindre, le vent qui soufflait contre les fenêtres, le craquement des lames en bois du parquet. N'y pense pas, me suis-je dit. N'y pense pas. Endors-toi. Mais encore et encore, mon esprit me taquinait avec cette idée : je suis une demi-sorcière. Je serais peut-être en mesure d'invoquer assez de pouvoir pour jeter le sortilège contre la vague sombre. Et j'étais à demi-humaine. Alors, il est fort probable que je survivrais à la vague sombre en soi.

N'y pense pas. Endors-toi.

J'ai songé au père étrange de Hunter, à l'idée qu'il meure devant les yeux de Hunter.

J'ai pensé à ma mère, qui avait eu si peur de ses pouvoirs qu'elle se les était enlevés afin d'être incapable de jeter des sorts, bons ou mauvais. Avait-elle pris la bonne décision? Voudrais-je suivre son exemple?

J'étais incapable de contrôler mes pouvoirs. Parfois, je brisais des objets et je causais des incidents bizarres. Je venais tout juste de découvrir que j'étais une demi-sorcière : je ne savais pas encore exactement ce que j'en pensais. Cela m'effrayait, me mettait en colère. Puis, je me suis souvenue de certaines des choses que Morgan avait faites. Maintenant que je savais que *j'étais* à l'origine des incidents effrayants, j'ai essayé d'isoler ce qui appartenait à Morgan. Elle avait transformé une boule de feu de sorcière bleue en fleurs, en véritables fleurs qui étaient tombées sur nous comme une pluie. Mary K. était convaincue qu'elle avait sauvé la vie de la petite amie de leur tante quand elle était tombée et s'était cogné la tête. Elle était venue me rendre visite à l'hôpital quand j'étais malade. Et mon état s'était amélioré de suite. Tout ça, c'était bien, non?

Je n'avais pas choisi d'être une demi-sorcière. Je ne voulais pas l'être. Mais comme je l'étais, il me fallait décider quoi faire de moi. Allais-je me retirer mes pouvoirs, comme maman, pour continuer à être un humain ordinaire et ne pas syntoniser la magye qui existait autour de moi? Ou allais-je essayer d'être une Morgan, d'apprendre tout ce que je pouvais pour décider quoi en faire? Peut-être pourrais-je devenir une guérisseuse? Ou encore, allais-je me comporter comme une poule mouillée et prétendre que rien de tout ça n'arrivait?

Hunter allait bientôt perdre son père, le voir mourir. Il n'avait pas le luxe de faire semblant que rien de tout ça n'arrivait.

Mon cerveau a décrit des cercles toute la nuit, et quand je me suis rendu compte que ma chambre était illuminée par l'aube naissante, je n'avais toujours pas de réponse.

— Alisa.

Hunter a paru surpris de m'apercevoir sur son porche et, pour parler franchement, j'étais surprise de me trouver là de nouveau. J'avais pris le bus pour la majeure partie du trajet et j'avais franchi le reste à pied, sous le vent froid qui soufflait à travers mon manteau de ski. La journée avait été interminable à l'école et, après une nuit d'insomnie, les tours de piste de la classe d'éducation physique avaient été particulièrement pénibles.

— Entre, a-t-il dit. Il fait vraiment un temps affreux.

Une fois à l'intérieur, j'ai tourné et retourné mes mains avec nervosité.

— Je pourrais le faire, ai-je dit rapidement afin de prononcer les paroles avant de perdre courage.

Hunter m'a regardé d'un air ébahi.

— Faire quoi ?

— Je pourrais jeter le sortilège contre la vague sombre.

Je me suis léché les lèvres.

— Je suis moitié-moitié. J'ai assez de sorcière en moi pour lancer le sortilège, mais assez d'humain pour y survivre. Je suis votre plus grand espoir.

Je n'avais jamais vu Hunter sans voix ; il avait normalement l'air imperturbable. Derrière lui, j'ai aperçu monsieur Niall qui sortait de la salle des cercles. Il a vu Hunter et moi et s'est approché de nous. Hunter n'avait toujours rien dit. J'ai répété mon offre en m'adressant à monsieur Niall, cette fois-ci.

— Si vous jetez le sortilège contre la vague sombre, vous allez en mourir. Ça ne serait probablement pas mon cas. J'ignore ma force, mais je suis capable de détruire des petits appareils à une distance d'environ cinq mètres, ai-je dit dans une tentative ratée de faire de l'humour. Vous êtes tous malades : vous avez un air terrible et de la difficulté à bouger. Je ne souffre que d'un mal de tête. Vous avez besoin de moi.

— C'est absurde, a indiqué monsieur Niall d'un ton bourru. Il n'en est pas question.

— Ce n'est pas possible, Alisa, a enfin dit Hunter. Tu n'as reçu aucune formation ni initiation. Impossible de savoir si tu es capable ou non de l'exécuter. Nous ne pouvons pas prendre ce risque.

— Vous ne pouvez pas prendre le risque de ne *pas* m'utiliser, ai-je dit. Et si ton père était submergé par la vague sombre avant de terminer le sortilège? Qu'arrivera-t-il alors? Avez-vous une solution de rechange?

D'après les brefs regards qu'ils se sont échangés, j'ai conclu que non.

— Mais Alisa, a dit Hunter, tu n'as même jamais jeté un sortilège. Nous parlons ici d'une magye extrêmement difficile et compliquée. Tu seras incapable de l'apprendre dans les temps. De plus, nous ignorons ta force.

— Je ne suis pas Morgan, je le sais bien, ai-je affirmé. Je ne suis pas un prodige. Mais je possède *certains* pouvoirs, à en juger par tous les trucs télékinésiques étranges qui se sont produits. Je veux dire, je sais que j'étais responsable des trucs bizarres de type poltergeist. Alors, j'ai *un peu* de pouvoir. Je sais que le sortilège sera compliqué. Mais quel autre choix avons-nous?

— Je peux choisir de ne pas condamner à mort une demi-sorcière non initiée, a dit monsieur Niall.

— OK, ai-je répondu en le regardant dans les yeux. Pouvez-vous choisir de condamner à mort les autres membres de Kithic parce que vous étiez incapable de voir d'autres options ?

Hunter et son père ont échangé d'autres regards.

— Peux-tu nous excuser un moment ? a brusquement dit Hunter en prenant son père par le bras pour le tirer vers l'autre pièce.

Ils sont partis presque dix minutes. J'ai eu l'impression d'attendre dix heures. Quand ils sont revenus, ils affichaient tous deux un air hésitant, mais ils semblaient être parvenus à un accord.

— Mon père va procéder à quelques tests de base sur tes pouvoirs, m'a dit Hunter. Selon les résultats, nous croyons que ce n'est peut-être pas une mauvaise idée de t'apprendre au moins une partie du sortilège. Nous ne sommes pas entièrement convaincus que tu pourras y prendre part, mais t'enseigner une partie ne causera aucun tort. Comme tu le dis, le fait que tu es une demi-sorcière pourrait jouer en notre faveur ici.

J'ai hoché la tête. Maintenant qu'ils avaient acquiescé à ma demande, une toute nouvelle gamme de peurs traversait mon esprit, mais impossible maintenant de reculer. Ma mère avait eu trop peur de ses pouvoirs et, au final, elle les avait détruits. Je n'en étais pas là — pas encore. Je devais obtenir plus de renseignements et explorer leurs possibilités avant tout. Si je possédais de réels pouvoirs et que j'arrivais, d'une manière ou l'autre, à les maîtriser, à les utiliser pour faire le bien, ce serait préférable à n'avoir aucun pouvoir.

9

Morgan

« Il peut y avoir un grand pouvoir dans les ténèbres. Il peut y avoir une grande extase dans le pouvoir. »

— Selene Belltower,
New York, 1999

Mercredi. Quelle journée horrible. J'ai l'impression d'avoir la grippe, mais peu importe ce que je prends, je ne sens aucune différence. J'ai essayé tous les remèdes contre les maux de sinus que j'ai pu trouver, mais rien n'améliore mon état. Maman a remarqué mon air dégoûtant (même pour moi) et n'arrête pas de toucher mon front. Mais je ne fais pas de fièvre. Je ne ressens que ce malaise horrible qui semble me dévorer de l'intérieur. J'en ai tellement marre de me sentir ainsi : je fonds constamment en larmes. La situation est si désastreuse que je n'arrive même pas à la comprendre. J'essaie de me rendre à l'école, de dîner avec ma famille, d'agir aussi normalement que possible, et pendant tout ce temps, je m'efforce de ne pas penser que moi et tous ceux que j'aime pourrions être morts dans une semaine.

En ce qui a trait à mes études, j'ai travaillé sur certains des devoirs de correspondance que Bethany m'a donnés. J'étudie les différentes structures des cristaux et comment leurs orientations moléculaires peuvent aider ou diminuer les pouvoirs lorsqu'ils sont utilisés dans des sortilèges. J'aime bien ce genre de truc. C'est lié à la science. Il est pénible pour moi de réfléchir, par contre.

Jeudi, j'ai ouvert mon Livre des ombres pour y inscrire une entrée quotidienne. J'essayais d'écrire tous les jours, au moins quelques phrases, sur ce qui m'occupait du côté de la Wicca, sur les matières auxquelles je m'intéressais. Je me suis aperçue que mon cerveau ne fonctionnait tout simplement pas. J'avais besoin d'un Coke diète. Au rez-de-chaussée, j'ai entendu le bruit de la télévision dans la salle familiale. J'ai pris une boisson gazeuse dans le réfrigérateur, puis j'ai jeté un coup d'œil dans la salle familiale avant de regagner ma chambre. Papa travaillait sur son ordinateur, Mary K. était couchée sur le plancher devant un manuel ouvert et maman était assise sur le divan à passer en revue des propriétés inscrites tout en regardant la télé. Toute ma famille pourrait être morte dans une semaine ; cette maison pourrait ne plus exister ; ces trois personnes, qui formaient la seule famille que j'avais jamais connue, qui avaient pris soin de moi, s'étaient fâchés contre moi, m'avaient aimée, pourraient être tuées. Par la faute de Ciaran. Par ma faute. Sans avoir fait quoi que ce soit. Leur seul crime avait été de m'adopter et de m'aimer.

Je suis montée à l'étage en me sentant misérable, coupable et malade. Je voulais pleurer, mais je savais que ça ne ferait qu'empirer les choses. Il ne s'agissait pas uniquement de ma famille. Il y avait Hunter, la personne que j'aimais autant que ma famille. La personne de qui je me sentais si proche, de qui j'étais si amoureuse, que je désirais si ardemment. En pensant à son corps, mort, sans vie et carbonisé sur le sol, j'avais envie de vomir.

Et si, par miracle, monsieur Niall arrivait à détourner la vague sombre, alors quoi ? Il sera mort. Nous serons tous vivants, mais j'aurai, indirectement, causé la mort du père de mon petit ami. Hunter pourrait-il me le pardonner ? Comme je le connaissais, probablement. Mais serais-je capable de me le pardonner ?

Je me suis assise à mon bureau en posant la tête dans mes mains. Mon père biologique allait prendre le père de Hunter au moment où Hunter venait tout juste de le retrouver. Que pouvais-je faire ? Une série de pensées folles a traversé mon esprit. Si je me métamorphosais en loup pour tuer Ciaran ? Probablement pas : j'ignorais comment procéder à une métamorphose. La dernière fois, Ciaran m'avait montré quoi dire et faire. En outre, je ne voulais plus jamais me métamorphoser : l'expérience avait été trop effrayante. De plus, je ne croyais pas être capable de tuer quiconque, même pas Ciaran. Et si j'avertissais les membres de Kithic et leurs familles afin qu'ils quittent la région ? Encore une fois, probablement pas. Ce serait impossible de convaincre tout le monde, et ça ne ferait que retarder la vague sombre sans la défaire. Je me suis demandé si je pouvais jeter un sortilège de ligotage à monsieur Niall afin qu'il n'effectue pas le sortilège. Mais s'il ne l'effectuait pas, nous allions tous mourir. D'autre part, si nous étions tous morts, Hunter n'aurait pas à faire face à la mort de son père.

Puis, une idée m'est venue ; une idée qui flottait depuis un moment dans mon esprit. Je l'avais ignorée, mais elle refusait de disparaître. Je pourrais confronter Ciaran de nouveau. Je pourrais lui dire que je me joignais à lui. Une sensation froide s'est posée sur moi comme une cape. Non, ce serait un mensonge et il serait capable de le déceler. Mais peut-être... peut-être pourrais-je le confronter de nouveau et user de son nom véritable contre lui ? Je le ligoterais et le confinerais pour l'empêcher d'exécuter la dernière partie du sortilège de la vague sombre. Ciaran était d'une puissance incroyable, mais je savais que ma force était aussi inhabituelle. Je manquais de formation et je n'étais pas instruite, mais j'avais toujours été en mesure d'invoquer le pouvoir quand c'était nécessaire. Et je connaissais le nom véritable de Ciaran. Je l'avais découvert au milieu du sortilège de métamorphose. Le nom véritable d'une sorcière est composé à la fois d'une chanson, d'une couleur, d'une rune et d'un symbole. Toute chose possède un nom véritable : les pierres, les arbres, le vent et les oiseaux. Les animaux, les fleurs, les étoiles et les rivières. Les sorcières. Quand tu sais le nom véritable d'une personne, tu as le pouvoir absolu sur elle : elle ne peut rien te refuser.

Et je connaissais le nom véritable de Ciaran. Bien entendu, il le savait et se tiendrait sur ses gardes. Mais c'était un risque que je me sentais être capable de prendre.

J'ai levé les yeux pour poser le regard sur mon manuel ouvert. J'avais un plan.

J'ai attendu de sentir que tout le monde dans la maison était endormi. Depuis sa chambre, je sentais le sommeil profond et innocent de Mary K. Le sommeil de mon père était plus léger, mais je savais que bientôt, il s'approfondirait, et mon père se mettrait à ronfler. Maman dormait comme à l'habitude ou du moins, comme elle le faisait toujours depuis que j'avais commencé à y prêter attention. Elle avait le sommeil léger et efficace d'une maman qui réussit à se reposer tout en demeurant prête à l'action au cas où elle entendrait le bruit caractéristique d'un enfant qui pleure ou qui vomit. Mary K. et moi avions beau être au secondaire, maman allait probablement dormir de la sorte jusqu'à nous quittions la maison pour aller à l'université.

Je suis sortie silencieusement de mon lit pour m'enfermer dans mon garde-robe. Là, j'ai dessiné un petit cercle sur le sol à l'aide d'une craie. J'ai fermé le cercle autour de moi, puis me suis assise en tailleur pour méditer. Le cercle augmenterait mes pouvoirs en plus de me donner une couche supplémentaire de protection. Je n'avais aucune idée d'où se trouvait Ciaran, mais j'avais l'impression qu'il se tenait proche.

J'ai invoqué autant de pouvoir que possible pour envoyer un message concentré : *Père, j'ai besoin de toi. Puits de pouvoir.*

J'ai ressenti une pointe de culpabilité à l'appeler père, surtout que mon vrai père dormait de l'autre côté du couloir. À mes yeux, Ciaran était extrêmement fascinant et charismatique, et le fait qu'il était mon parent de sang semait toujours la confusion en moi. Selon lui, j'étais l'enfant qui lui ressemblait le plus, celle à qui il désirait enseigner ses connaissances. Pourtant, nous abhorrions tous deux certaines facettes de l'autre et nous n'avions jamais réellement tissé un lien de confiance.

J'ai défait le cercle en me sentant malade, fatiguée et à deux doigts des larmes. Qu'est-ce que je faisais ? J'avais eu l'impression que c'était une bonne idée une heure plus tôt, mais à présent, le concept m'effrayait. J'ignorais quel résultat me causait la plus grande frousse : qu'il ne réponde pas à mon message ou qu'il y réponde. Je suis retournée au lit en sentant que chaque muscle était douloureux et je suis restée couchée, dans un demi-sommeil tendu pendant je ne sais trop combien de temps. Puis, j'ai reçu le message, la voix de Ciaran dans mon esprit : *Dans une heure.*

Une heure peut passer à la vitesse de l'éclair (quand je suis avec Hunter) ou de la tortue (quand je suis à l'école). Après avoir reçu le message de Ciaran, chaque seconde semblait prendre une minute à passer. Après être restée couchée avec raideur dans mon lit pendant vingt minutes, comme si j'étais atteinte de rigidité cadavérique, je n'étais plus capable de supporter l'attente. J'ai enfilé un jean et un pull à capuchon, j'ai tressé mes longs cheveux et, en tenant mes chaussures à la main, j'ai descendu silencieusement l'escalier.

Une fois dehors, j'ai boutonné mon manteau et j'ai enfoncé sur ma tête un bonnet de laine tricoté. L'atmosphère semblait tendue et irréelle alors que je piétinais la gelée printanière jusqu'à Das Boot. J'avais l'impression d'avoir une vision à l'infrarouge : j'apercevais les mouvements les plus imperceptibles de chaque branche dans chaque arbre. Le clair de lune qui filtrait à travers les branches était pâle et d'aspect fragile. J'ai ouvert la portière de la voiture et j'ai placé le levier à neutre avant de relâcher le frein à main. Ma Valiant a commencé à rouler lourdement vers la rue et, bientôt, nous avons franchi silencieusement le bord du trottoir. J'ai pris un virage serré vers la gauche. Quand la voiture s'est remise droite, j'ai relâché le frein pour laisser la voiture rouler lentement en pente sur environ vingt-cinq mètres. Ensuite, j'ai démarré le moteur, allumé les phares et le chauffage pour prendre la direction du puits de pouvoir.

Quand j'étais plus jeune, j'avais peur du noir. Maintenant âgée de dix-sept ans, j'étais davantage effrayée de devenir irréversiblement maléfique ou qu'on me prenne mon âme de force. L'obscurité ne me paraissait plus si terrible.

Depuis la découverte de mes pouvoirs de sorcière, ma vision magyque s'était développée, si bien que je pouvais voir facilement sans lumière à présent. J'ai garé ma voiture en bordure de la route et j'ai laissé les portières déverrouillées. Pendant que mes bottes écrasaient des aiguilles de pin gelées, des feuilles en décomposition et des brindilles gorgées d'eau, je remarquais les moindres détails autour de moi. J'avais plus de vingt minutes d'avance. Quand j'ai projeté mes sens, je n'ai senti que la présence d'animaux et d'oiseaux endormis, et le passage sporadique d'un hibou ou d'une chauve-souris. Aucune sorcière et aucune trace de Ciaran.

Le puits de pouvoir se trouvait au milieu du cimetière, et j'avais l'impression que quelqu'un se cachait derrière chaque pierre tombale usée par le temps. J'ai impitoyablement repoussé ma peur pour me fier à mes sens et non à mes émotions. J'avais froid, fouettée par un vent humide et glacial, mais j'étais surtout transie par la peur. Non, l'obscurité ne me dérangeait pas, mais les pires expériences de ma vie avaient toutes eu lieu au cours des quatre derniers mois, et l'homme que j'attendais était responsable d'une vaste majorité d'entre elles. Mon père biologique.

J'ai fait les cent pas pour prendre lentement conscience des vrilles de pouvoir qui circulaient sous moi, dans la terre ; des lignes d'énergie et de pouvoir qui existaient depuis le début des temps. Elles se trouvaient sous mes pieds et avaient nourri cet endroit depuis des siècles. Leur pouvoir s'étalait dans les arbres, la terre, les pierres et tout ce qui m'entourait.

— Morgan.

Je me suis retournée, et mon cœur a soudain cessé de battre. Ciaran était apparu sans crier gare : mes sens n'avaient même pas capté une ondulation dans l'énergie autour de moi.

— J'ai été surpris de recevoir ton appel, a-t-il dit de son accent écossais mélodieux.

Ses yeux noisette semblaient m'illuminer dans l'obscurité. Lentement, j'ai senti que mon cœur reprenait ses battements lourds.

— J'espère que tu m'as appelé ici pour faire ma joie, pour me dire que tu deviendras la sorcière la plus remarquable que le monde n'aura jamais connue.

Je ressentais tellement d'émotions en le regardant. De la colère, des regrets, de la peur, de la confusion et même (j'avais honte de l'admettre)... de l'amour ? Un sentiment s'approchant de l'admiration ? Il était si puissant, si déterminé. Il n'y avait aucune incertitude dans sa vie : sa voie était claire. Je lui enviais ça.

Je n'avais pas vraiment élaboré de plan ; je devais d'abord confirmer quels étaient les siens.

— Je me sens vraiment mal, lui ai-je dit. Est-ce en raison de la vague sombre ?

— Oui, ma fille, a-t-il dit d'un ton empreint de regrets. Si tu es au courant de son arrivée avec une certaine avance, tu peux te prémunir de la maladie. Mais dans le cas contraire...

Ce qui expliquait pourquoi il était en pleine forme alors que j'avais l'impression d'être à deux doigts de vomir et de m'effondrer.

— Je peux en faire beaucoup pour amoindrir tes symptômes, a-t-il enchaîné.

Et puis, la prochaine fois, tu seras protégée avant que tout commence.

— Je ne me joindrai pas à toi, ai-je dit en inspirant l'air froid dans mes poumons.

— Puisque c'est ainsi, pourquoi m'as-tu appelé ici ?

La pointe glaciale dans son ton était plus mordante que l'air de la nuit.

— Ta façon de faire les choses n'est pas la mienne, ai-je indiqué. Ce n'est pas une voie que je peux choisir. Pourquoi es-tu incapable de vivre et laisser vivre ? Je ne suis personne. Kithic n'est rien. Tu n'as aucune raison de nous détruire. Nous ne pouvons te causer aucun tort.

— Kithic n'est rien, a-t-il acquiescé d'une voix qui me rappelait la buée qui s'élevait de l'eau.

Il s'est rapproché de moi ; il était si près que je le touchais presque.

— Un cercle amateur de jeunes médiocres. Mais toi, ma chère, tu n'es pas rien. Tu possèdes le pouvoir de semer la dévastation partout sur ton passage... ou de créer une beauté inimaginable.

— Non, ce n'est pas vrai, ai-je protesté. Pourquoi crois-tu cela ? Je ne suis même pas initiée…

— Tu ne comprends tout simplement pas, n'est-ce pas ? a-t-il demandé d'un ton brusque. Tu ne comprends pas qui tu es, *ce que* tu es. Tu es la dernière sorcière de Belwicket. Tu es ma fille. Tu es la *sgiùrs dàn*.

— La quoi ?

Je sentais une crise de nerfs monter en moi comme une nausée.

— Le fléau promis. La destructrice.

— La *quoi* ? ai-je répété dans un cri.

— Tous les signes indiquent qu'il s'agit bien de toi, Morgan, a-t-il expliqué. La destructrice apparaît à un intervalle de quelques générations pour transformer la trajectoire de son clan. Cette fois-ci, c'est toi qui transformeras la trajectoire des Woodbane, comme l'a fait ton ancêtre, Rose, il y a des siècles. Alors, tu vois bien que ton pouvoir est plus grand que tu ne le crois. Et je ne peux laisser ce pouvoir s'opposer au mien. Ce serait… idiot de ma part d'aller à l'encontre du destin.

— Tu es dément, ai-je soufflé.

Il a fait un grand sourire alors ; ses dents blanches ont brillé dans la nuit.

— Non, Morgan. Ambitieux, oui. Dément, non. Tout ce que je dis est la vérité. Tu n'as qu'à interroger l'investigateur. De toute manière, tu ne resteras plus sur Terre assez longtemps pour que ça ait la moindre importance. Soit tu te joins à moi maintenant, soit tu meurs.

J'ai fixé du regard son visage qui était le reflet plus masculin du mien.

— Tu ne vas pas réellement me tuer.

Je t'en prie, ne fais pas ça, l'ai-je supplié en silence. Je t'en prie.

Une expression peinée a traversé son visage.

— Je ne veux pas te tuer, mais je le ferai, a-t-il rétorqué d'un ton de regret. Je dois le faire. Si je dois choisir entre ta vie ou la mienne, je choisirai la mienne.

L'entendre le confirmer m'a brisé le cœur. J'ai senti une masse engourdie de tristesse dans ma poitrine. Toute affection confuse que je ressentais pour lui, tout espoir qui subsistait d'avoir un jour, d'une certaine manière, une relation avec l'homme qui m'avait créé se sont dissipés. Un vrai père ne ferait jamais de mal à sa propre fille, de la même manière qu'une vraie âme sœur n'aurait jamais tué son amante. Ciaran échouait sur tous les plans.

Sans crier gare, j'ai été submergée par une vague de rage devant son arrogance, son égoïsme, son manque de vision. Il préférait me tuer que d'apprendre à me connaître ! Il préférait balayer toute une assemblée que de parvenir à ses fins d'une autre façon ! Il était une brute et un poltron, qui se cachait derrière une vague sombre qui avait tué une quantité innombrable d'innocents. Il allait me tuer parce que je l'effrayais ; moi, une adolescente, une sorcière sans formation. Je n'ai pas réfléchi avant de passer à l'action. J'ai soudain eu l'impression d'avoir sept ans et d'être la cible des moqueries sur le terrain de jeu. J'ai brandi mon poing pour le frapper droit sur l'épaule. Pris de court (tout comme moi), Ciaran a attrapé mon poignet pour me tordre sur le sol, et je me suis mise à crier. Il ne s'agissait pas de magye : cet homme était plus fort que moi. Mais alors, il a marmonné des paroles, et j'ai senti un immobilisme horrible me gagner; une froideur étrangère que je n'avais ressentie qu'une seule fois par le passé, quand Cal m'avait jeté un sortilège de ligotage.

Merde! Mon esprit s'est emballé dans un élan de panique pendant que je m'agenouillais, si engourdie que je ne sentais pas l'humidité du sol qui suintait dans mon jean. Mais qu'est-ce qui m'était passé par la tête? Je connaissais le nom véritable de Ciaran! Mais au lieu de l'utiliser, je l'avais frappé comme une enfant stupide!

Il a libéré ma main et a reculé d'un pas en affichant un air colérique et préoccupé.

— De quoi s'agit-il, Morgan? a-t-il demandé d'un ton qui, ironiquement, était très paternel.

J'étais incapable de formuler des mots. On aurait dit que j'étais sous anesthésie et que je vivais ces minutes effrayantes qui précèdent la perte de conscience. J'avais l'impression que mon cerveau était enveloppé dans du coton humide, que mes synapses s'électrifiaient lentement et de façon erratique. J'étais incapable de bouger ; c'était comme si je n'avais plus de corps. Au-delà de la pure panique, j'étais pleine de colère. Comment avais-je pu me montrer aussi stupide ? La magye doit s'accompagner de pensées claires. Les pensées claires dictent des actions claires. Attaquer aveuglément, sans réfléchir ; ne pas se doter d'un plan ferme ni s'y conformer ; tout ça ne provoquait pas uniquement des ennuis ; dans mon cas, à ce moment-là, cela signifiait la mort.

Je ne suis pas l'une de ces héroïnes efficaces sous la pression. Devant la pression, je veux surtout pleurer. Je voulais pleurer à ce moment-là. J'étais étouffée par la frustration, la fureur, la peur. Je me suis plutôt agenouillée sur le sol froid devant mon père qui tenait ma vie dans sa main comme si c'était un œuf.

— Morgan.

Son ton était surpris et déçu.

— À quoi penses-tu ? Vas-tu vraiment *m'affronter* ? Je suis bien plus fort que toi.

Mes lèvres ont remué, mais je ne pouvais prononcer aucun mot. *Alors, pourquoi as-tu si peur de moi ?* ai-je pensé en lui envoyant le message.

Je me suis demandé s'il me suffisait de *songer* à son nom véritable. Si cela suffirait à le contrôler. J'hésitais à essayer. S'il savait que le nom était dans mon esprit, j'étais fichue. J'avais déjà fait une erreur terrible, qui allait peut-être m'être fatale. Tout geste posé dorénavant devait être infaillible.

Mes yeux embrumés se sont levés vers le visage de Ciaran. Il me parlait à voix basse, et j'ai eu du mal à entendre ce qu'il disait.

— Est-ce que ça serait si terrible de te joindre à moi ? Suis-je réellement un monstre ? Je suis ton père. Je pourrais t'enseigner des choses si belles et si parfaites que tu en pleurerais. Souhaites-tu réellement rejeter cette occasion ?

Mon regard était rivé à lui pendant qu'il parlait. Réfléchis, réfléchis, me suis-je dit, comme dans un rêve. Réfléchis ou il gagnera. Un sortilège de ligotage était l'un des sortilèges les plus étranges que l'on pouvait subir. Il comportait différents niveaux, qui allaient de l'incapacité à blesser un autre être à un coma pur et simple. À cet instant, j'avais l'impression d'être enveloppée dans de nombreuses couches de mouchoir : une prison difficile à briser, mais qui était pourtant faite de couches minces pouvant être déchirées. Je savais aussi que Ciaran avait besoin de concentration pour maintenir le sortilège. Il était possible d'exécuter un sortilège de ligotage à une certaine distance, mais il n'avait pas eu le temps de le faire. Il s'agissait d'un sortilège rapide, conçu hâtivement et qui nécessitait un effort continu de sa part.

Si je brisais sa concentration, s'il baissait la garde ne serait-ce qu'un millième de seconde, je serais peut-être en mesure de faire quelque chose. Comme gémir de façon pathétique avant de tomber à la renverse. Ou me libérer. Et là, j'étais certaine de pouvoir utiliser son nom véritable. Mais c'était si difficile de *réfléchir*. J'arrivais à peine à bouger les yeux, et c'était tout ce que j'étais capable de faire. Quelles options s'offraient à moi ? Je ne pensais pas être capable d'envoyer un message de sorcière à quiconque ne se trouvant pas immédiatement à mes côtés pendant que j'étais ligotée. J'étais incapable d'entonner les sons du chant pour invoquer le pouvoir de Maeve. Que pouvais-je faire? Qu'étais-je en mesure de faire? J'étais douée pour allumer des feux, mais tout autour de moi paraissait humide. Serais-je capable de faire prendre en feu des feuilles mouillées?

Ciaran continuait de parler en faisant les cent pas et essayait avec ferveur de me convaincre que le noir égalait au blanc. Mes yeux le suivaient, mais lui, il ne regardait pas tellement : il était convaincu que j'étais incapable de me libérer.

Feu. Chaleur. Ensemble, la chaleur et l'humidité… créaient de la vapeur. La vapeur pouvait être puissante. À une époque, la machinerie lourde fonctionnait à la vapeur. Comme les radiateurs.

Puis, l'idée m'est venue. Avec beaucoup d'effort, j'ai lentement glissé mon regard au-delà de Ciaran, vers le tronc d'un pin. Chaleur, ai-je pensé. Chaleur et eau. Chaleur. Feu. J'ai imaginé des étincelles, de petites flammes s'allumer en vacillant, le feu réchauffer l'écorce et se glisser dessous. Ciaran n'a pas remarqué le mince ruban de vapeur qui s'échappait de l'arbre derrière lui. Il a poursuivi son monologue, comme s'il pensait qu'en parlant assez longtemps, il parviendrait enfin à me convaincre.

La chaleur s'élevait sous l'écorce du pin. La pression montait. Les cellules se gonflaient. De minuscules fissures brisaient les fibres du bois. L'eau contenue dans chaque cellule s'est évaporée pour se transformer en vapeur. Ma pensée s'y est égarée ; j'ai imaginé pouvoir voir l'écorce s'enfler, sentir les fibres se fissurer et la pression monter.

Crac !

Avec la force d'une petite explosion, des morceaux de l'écorce ont volé pour frapper Ciaran et me frôler de près. Il a pivoté, la main tendue, prêt à faire dévier une attaque, et il lui a fallu quelques secondes pour voir d'où provenait le bruit. Des secondes durant lesquelles sa concentration a faibli. Durant ce moment précieux, j'ai fait un effort considérable et j'ai réussi à mouvoir mon bras droit. En invoquant chaque parcelle de pouvoir disponible, j'ai élevé la voix pour prononcer son nom véritable. Il s'est tourné vers moi au moment où j'entonnais les premières notes d'une voix morne et plombée par le sortilège de ligotage. Ma main droite a esquissé maladroitement des runes dans les airs et, dans un dernier souffle, je suis parvenue à terminer de le dire — son nom véritable : à la fois une couleur, une chanson et une rune.

Il a craché des mots, mais j'ai levé la main pour les faire dévier.

Les dents serrées, je lui ai dit :

— Relâche le sortilège de ligotage.

L'expression de furie et d'horreur sur son visage était terrifiante, même en sachant que j'avais le pouvoir sur lui.

— Retire-le !

Il a levé le bras contre sa volonté, et des mots ont franchi ses lèvres. Quelques instants plus tard, j'étais capable de prendre de grandes respirations, et quand le sortilège s'est dissous, je suis tombée à quatre pattes.

— Morgan, ne fais pas cette erreur, a doucement dit Ciaran, mais il n'était plus en contrôle.

— Silence, ai-je haleté en me levant lentement et en frottant mes bras et mes jambes pour y ramener la vie.

L'air froid de la nuit m'a fait trembler : j'étais demeurée immobile trop longtemps.

Je l'ai regardé : mon père biologique, une sorcière extrêmement puissante que j'admirais malgré moi et que je craignais véritablement. Il m'avait jeté un sortilège de ligotage ! Il avait planifié me tuer, tuer mes amis et ma famille. Je l'ai regardé avec une expression de mépris.

— Ciaran d'Amyranth, ai-je dit, et mes poumons me semblaient encore raides et ma langue, lourde. Je détiens le pouvoir sur toi. Je possède ton nom véritable et tu es enjoint à suivre ma volonté.

Je tentais de me souvenir des paroles exactes, lues dans divers textes de sorcellerie. Ses yeux ont lancé des éclairs, mais il s'est tenu silencieux devant moi.

— Tu ne me feras plus jamais de mal, ai-je dit avec force.

Je ne savais pas exactement comment fonctionnait un nom véritable, mais j'avais l'impression qu'à peu près tout était permis.

— Comprends-tu ce que je dis ?

Ses lèvres étaient serrées.

— Dis-le, ai-je ordonné en ayant une impression d'irréalité.

— Je ne te ferai plus jamais de mal.

Les mots semblaient le faire souffrir.

En décrivant des mouvements rapides et efficaces, je lui ai jeté un sortilège de ligotage, par mesure de prudence. Il se tenait dans l'obscurité tel un mannequin magnifique, mais le feu brûlait dans ses yeux, qui ne m'ont jamais quittée.

— Je possède ton nom véritable, ai-je répété pour faire une bonne mesure. Tu n'as aucun pouvoir.

Je me suis reculée, épuisée. Ma montre indiquait deux heures vingt-six. En appuyant une main contre ma tempe, les yeux ouverts, j'ai envoyé un message de sorcière avec la plus grande force que je pouvais déployer. *Hunter. Puits de pouvoir. Maintenant. Amène ton père. J'ai besoin de vous.*

10

Alisa

« Le secret d'une vague sombre réussie réside dans ses limites. Soyez clair dans votre intention, neutre. Agissez en suivant une décision calme et logique, jamais dans un esprit de colère ou de vengeance. »
— Ciaran MacEwan, Écosse, 2000

— Non, non ; c'est *nal nithrac* et non *nal bithdarc*, a dit monsieur Niall sans prendre la peine de cacher son agacement.

J'ai serré les dents.

— N'y a-t-il pas un *nal bithdarc* quelque part ?

— Il y a un *bith dearc*, m'a rappelé Hunter, mais ça ne viendra que plus tard.

J'ai poussé un souffle avant de m'affaisser sur le plancher de bois devant le foyer. Il était foutrement tard, j'étais épuisée, j'avais mal à la tête et j'avais un peu faim.

— Reste-t-il du gâteau ? ai-je demandé.

Hunter avait fait un quatre-quarts formidable la veille, et nous l'avions dévoré goulûment entre ces leçons pour m'apprendre ce sortilège horrible et malveillant. Sans dire un mot, Hunter s'est dirigé vers la cuisine pour en revenir avec un morceau de gâteau posé sur une assiette. Je l'ai saisi avec mes doigts et j'en ai pris une bouchée.

Monsieur Niall s'est assis sur le sol à mes côtés et a tendu ses mains vers le feu. Il ressemblait à un mort-vivant avec sa peau grise et ses yeux creux. Depuis mardi soir, il travaillait avec moi sur le sortilège pour combattre la vague sombre. Papa et Hilary croyaient que je travaillais sur mon projet scientifique avec Mary K. J'avais dit à papa que j'allais rentrer tard, et il avait été d'accord. Un autre signe qu'Hilary rendait papa fou : un an plus tôt, il ne m'aurait jamais laissée rentrer après l'heure du lit.

J'ai regardé ma montre : il était passé minuit. Et il me fallait aller à l'école demain.

Dieu merci, c'était vendredi demain. J'allais passer à travers mes cours comme une somnambule, puis m'effondrer sur mon lit à la maison. Ensuite, j'allais revenir ici sans me soucier de l'heure du lever le lendemain.

— Je suis désolée, ai-je dit en m'efforçant de ne pas faire de miettes. Tout ça est si nouveau pour moi.

— Je sais, a dit monsieur Niall en se frottant l'arrière de la tête. Et c'est un sortilège difficile. La majorité des sorcières commencent par faire des sortilèges pour chasser les mouches ou d'autres trucs du genre.

— Chasser les mouches, ai-je dit d'un air songeur. Je serais probablement capable de m'en tirer avec ça.

Hunter a émis un rire sec avant de retourner dans la cuisine, où la théière s'était mise à siffler.

Il est revenu en portant trois tasses. Le thé était chaud et sucré, empreint de miel et de citron. J'ai attendu que monsieur Niall ait terminé sa tasse avant de me lever d'un pas lourd.

— OK. Pouvons-nous reprendre depuis le début de la deuxième partie, où nous effectuons les sigils?

— Jeune fille, a dit monsieur Niall d'un ton hésitant, tu as bien essayé, mais...

— Mais quoi? Mais je n'arrête pas de me tromper? Il est tard, je suis fatiguée, et il s'agit de mon premier sortilège pour contrer une vague sombre, ai-je lancé d'un ton irrité. Je sais que j'ai besoin de beaucoup plus de pratique. Voilà pourquoi je suis là.

Ma mâchoire a tressailli, et j'ai compris que ma fierté se trouvait dans la balance. Je *voulais* réussir ce sortilège. Pas pour bien paraître devant Hunter et son père, mais parce que j'étais la fille de ma mère. Elle provenait d'une lignée de sorcières, mais elle avait paniqué à un point tel qu'elle s'était enlevé ses pouvoirs. Cela me semblait lâche. J'étais, moi aussi, effrayée par mes pouvoirs, mais abandonner de la sorte me semblait mal. J'avais le sentiment d'être moi, *d'avoir* le contrôle sur moi. Mes pouvoirs ne me contrôlaient pas. Exécuter ce sortilège était un cours intensif sur la canalisation de mes pouvoirs. Jusqu'à présent, ça n'avait pas été un grand succès. À plusieurs reprises, j'avais été si frustrée ou bouleversée que j'avais brisé une ampoule du plafonnier, fait s'effondrer une pile de bois de chauffage (j'ai présumé que j'étais responsable) et fait tomber un cadre du mur.

C'était le genre de choses qui m'avait effrayée au sujet de Morgan et de ses pouvoirs : l'idée de perdre le contrôle. Mais *elle* n'avait pas été responsable, et il me fallait accepter cette facette de ma personne. Il fallait que je reprenne le dessus. Le plus étrange était qu'après le troisième incident (je criais pratiquement de frustration après avoir exécuté une série de sigils parfaitement… mais à l'envers), Hunter et son père avaient commencé à trouver ça drôle. Drôle! Des trucs qui m'avaient amenée à quitter Kithic et à mettre quelques kilomètres entre Morgan et moi; qui m'avaient amenée à ne pas l'aimer, à ne pas lui faire confiance. À présent, ils s'amusaient à lever les bras pour attraper des objets — des vases, des lampes, des tasses — chaque fois que je levais la voix. C'était comme cette scène dans *Mary Poppins* quand l'amiral fait exploser son canon et que tout le monde court gagner son poste.

— Regardez-vous, ai-je dit sans malice. Vous êtes à peine capable de manger et de dormir. La vague sombre qui approche vous épuise. À côté de vous, je suis l'image même de la santé. Notre plan est toujours bon. Ce qui veut dire que vous devez m'enseigner le sortilège.

D'un air défait, monsieur Niall s'est levé, et nous avons tous deux fait face à l'ouest, les bras tendus.

— Prononce les paroles, a-t-il dit.

Je me suis concentrée pour tenter de laisser le sortilège venir à moi plutôt que d'essayer de le saisir.

— *An de allaigh, ne rith la*, ai-je chantonné légèrement. *Bant ne tier gan, ne rith la.*

Et il se poursuivait de la sorte, les mots des limites qui constituaient la seconde partie du sortilège. Après la phrase suivante, monsieur Niall et moi avons commencé à bouger ensemble, comme des athlètes de nage synchronisée. J'ai brandi la main droite pour tracer trois runes, puis un sigil, une rune et deux autres sigils. Ils permettraient de centrer le sortilège et d'y ajouter du pouvoir. Chaque rune avait non seulement une signification propre, mais servait aussi à identifier un mot qui commençait par ce son. Chaque mot avait une signification qui amplifiait le sortilège.

J'ai croisé les bras sur ma poitrine, paumes vers le bas, chaque main posée sur une épaule. En me tenant bien droite, j'ai enchaîné :

— *Sgothrain, tal nac, nal nithrac, bogread, ne rith la.*

Dix minutes plus tard, j'entonnais la dernière section de la deuxième partie du sortilège. J'aurais voulu m'effondrer sur le sol et y dormir pour le restant de mes jours. Mais quand j'ai levé les yeux, j'ai vu l'admiration sur le visage de Hunter et une approbation réservée sur celui de monsieur Niall. J'ai senti un élan d'énergie.

— Est-ce que c'était bon ? ai-je demandé même si je savais qu'ils m'auraient interrompue dans le cas contraire.

— C'était correct, Alisa, a dit monsieur Niall. C'était bon. Si nous pouvons réussir les autres parties aussi bien, nous serons en bonne position.

Je me suis efforcée de ne pas grogner ouvertement : il y avait trois autres parties au sortilège. En tout, la chose nécessitait près d'une heure.

— J'ai senti ton pouvoir, a affirmé Hunter. L'as-tu senti ?

J'ai hoché la tête.

— Oui, il semble devenir plus fort... ou peut-être suis-je mieux en mesure de le reconnaître. C'est encore si nouveau pour moi. Est-ce étrange qu'une demi-sorcière ait du pouvoir ?

Hunter a haussé les épaules.

— C'est un état extrêmement rare, n'est-ce pas, papa ?

— Très rare. Je ne crois pas avoir déjà rencontré une autre demi-sorcière, encore moins une détenant du pouvoir, a indiqué monsieur Niall. J'ai entendu des histoires, mais normalement, une sorcière ne peut pas concevoir d'enfant avec un homme ordinaire. Et quand un homme sorcière se reproduit avec une femme ordinaire, leur enfant est toujours relativement dénudé de pouvoirs.

J'ai senti la chaleur sur mes joues. Je ne désirais réellement pas songer à mes parents concevant quoi que ce soit.

— Je m'interroge, cependant, a dit monsieur Niall. Je me demande si tu as ces pouvoirs, ou ce niveau de pouvoir, parce que ta mère s'est ôté les siens. Se retirer ses pouvoirs est semblable à une chirurgie esthétique : de l'extérieur, tu as un aspect différent, mais tes gènes demeurent les mêmes. *Ton* nez est différent, mais tu as tout de même la capacité de transmettre ton ancien nez à tes enfants. Le fait que ta mère se soit enlevé ses pouvoirs ne signifiait aucunement qu'elle n'était plus une sorcière de sang et qu'elle perdait la capacité de transmettre sa force, la force de sa famille, à ses enfants.

Il m'a regardée en fronçant les sourcils.

— Cela dit, tu possèdes un niveau élevé de pouvoir, même en présumant que tu as hérité de ton lot génétique auprès de ta mère. La majorité des demi-sorcières sont relativement faibles parce qu'elles n'obtiennent du pouvoir que d'une moitié de leur famille. Mais toi…

— Je brise des objets, ai-je proposé.

Monsieur Niall a gloussé, ce qui était rare.

— Eh bien, il y a ça, jeune fille. Non, je faisais référence au fait que tu sembles détenir le pouvoir d'une sorcière de sang à part entière. Je me demande s'il est possible que ta mère, en s'ôtant ses pouvoirs, te les a transmis de façon concentrée.

Hunter semblait curieux.

— Tu veux dire qu'Alisa possède non seulement ses propres pouvoirs à titre de demi-sorcière, mais aussi les pouvoirs de sorcière de sang de sa mère.

Monsieur Niall a hoché lentement la tête en me regardant.

— Oui, a-t-il dit. Je n'ai jamais vu une telle chose, mais je présume que voilà de quoi il retourne.

— Tu n'as aucun frère ou sœur, n'est-ce pas, Alisa ? a demandé Hunter.

J'ai secoué la tête.

— À l'exception du demi-frère ou de la demi-sœur à naître dans six mois. Mais cet enfant n'aura aucune sorcellerie en lui.

— Si tu avais des frères ou sœurs, il aurait été intéressant de constater quels pouvoirs ils ont, a-t-il indiqué.

— Ouais. Je suis un projet scientifique ambulant, ai-je dit d'un ton acerbe. Ce que je veux dire est : pensez-vous que je pourrai apprendre à maîtriser mon pouvoir, tous ces trucs télékinésiques ?

Le père de Hunter a hoché la tête.

— Oui. Je ne vois aucune raison pourquoi tu ne le pourrais pas. Ce sera une habileté à développer, comme toute autre compétence. Il te faudra de la pratique, un engagement et du temps, mais je suis certain que tu y arriveras.

— OK, ai-je dit en poussant un soupir. Je suppose que je m'y mettrai dès que cette histoire de vague sombre sera terminée.

Hunter et monsieur Niall ont échangé des regards au-dessus de ma tête et, comme dans un éclair, j'ai compris qu'ils pensaient que si nous étions incapables de combattre la vague sombre d'une manière ou de l'autre, je n'aurais plus à me préoccuper de mes trucs télékinésiques. Parce que je serais morte.

Hunter s'est étiré de nouveau, avant de se renfrogner légèrement et de s'immobiliser. J'ai tendu l'oreille à l'affût de bruits inhabituels, mais je n'ai rien entendu ou vu qui sortait de l'ordinaire.

— Qu'y a-t-il, fiston? a demandé monsieur Niall, et Hunter a levé un doigt pour lui demander le silence.

— C'est Morgan, a-t-il alors dit en se levant.

— Où? Dehors? ai-je dit en pensant qu'il avait senti son approche.

— Non. Au puits de pouvoir. Elle veut que je l'y rejoigne.

Il a regardé son père.

— Elle veut que tu viennes aussi.

Sans un mot de plus, ils se sont dirigés vers le vestibule pour prendre leurs manteaux.

À mi-chemin vers la porte, Hunter m'a demandé :

— Veux-tu que je te reconduise à la maison?

J'ai jeté un regard à la ronde sur les livres de sortilèges de monsieur Niall, sur le Livre des ombres de Rose et sur mes notes gribouillées sur un nombre infini de feuilles. Je devais continuer de m'exercer.

— Non, merci. Je vais vous attendre ici, si ça vous va. Je vais passer en revue la troisième partie du sortilège.

Hunter y a réfléchi un moment avant de hocher la tête.

— D'accord. Mais reste à proximité d'un téléphone, et si quoi que ce soit d'étrange se produit, communique avec les secours.

— OK.

Quoi ce soit d'étrange? Les secours? Que se passait-il?

Puis, ils sont partis, et je me suis retrouvée seule. Il était presque deux heures et demie. J'ai jeté une bûche mince dans le feu de la salle des cercles avant de me remettre à travailler sur les formes.

11

Morgan

« Durant l'épidémie de grippe, une chef d'assemblée de Dover souhaitait lancer une vague sombre sur sa ville. Si Dover était nivelée, cela aurait réduit les risques que la maladie se propage. Il s'agissait d'un raisonnement valable, mais, bien entendu, le Conseil ne pouvait pas l'approuver. »

— Frederica Pelsworthy,
DÉCISIONS NOTABLES
DU VINGTIÈME SIÈCLE,
Adam Press, 2000

Après avoir tenu Ciaran prisonnier pendant dix minutes dans un sortilège de ligotage, j'ai commencé à me dire que j'aurais d'abord dû le faire asseoir. Parce que je me sentais légèrement *coupable* de savoir qu'une des sorcières les plus maléfiques

des deux derniers siècles, un homme responsable de centaines, voire de milliers de
morts, un homme qui avait, dans les faits,
tué *ma mère* allait peut-être être inconfor-
table à demeurer debout, immobile, si longtemps! Je suis si pathétique que j'ai parfois
de la difficulté à me supporter.

J'étais appuyée contre une pierre tombale, que je quittais parfois pour me
réchauffer en marchant un peu, quand
Hunter et son père sont arrivés. Je n'avais
jamais été aussi heureuse de voir une personne de ma vie. Je les ai sentis sortir de la
voiture de Hunter, puis Hunter a dirigé son
père dans les bois jusqu'au cimetière
méthodiste. Je suis allée à leur rencontre
d'un pas rapide.

— Merci d'être venus, ai-je dit en glissant mes bras autour de la taille de Hunter
et en appuyant la tête contre sa poitrine un
moment.

J'ai maintenu une partie de ma concentration sur Ciaran, mais je savais qu'il serait
incapable de repousser ce sortilège de ligotage. J'avais toujours été douée à les jeter.

— Les choses se sont un peu emballées.

— Que se passe-t-il?

Hunter m'a tenu les épaules pour poser sur moi un regard préoccupé.

— Par là.

J'ai agité mollement la main du côté de Ciaran, et Hunter a franchi quelques pas avant de le voir. Puis, il s'est figé en brandissant instinctivement les mains pour jeter des sortilèges afin de repousser le mal.

— Il est sous un sortilège de ligotage, ai-je rapidement dit.

— Déesse, a lancé monsieur Niall dans un souffle rauque après avoir aperçu Ciaran.

Hunter s'est tourné pour me regarder comme si des ailes d'elfe avaient soudain poussé dans mon dos.

J'ai secoué la tête sans trop savoir par où commencer.

— Ça me tuait de savoir que tout ça arrivait par ma faute. Si je n'étais pas ici, Amyranth ne se serait pas occupée de Kithic. J'avais l'impression que tout était de ma faute. J'ai décidé de communiquer avec Ciaran pour essayer de lui faire entendre raison.

J'ai jeté un regard à la dérobée vers Ciaran et j'ai presque frissonné en voyant ses yeux. Il avait perdu de sa ressemblance : ses yeux avaient un éclat sombre et ne contenaient aucune trace de leur affection légère ou de leur chaleur habituelle.

— Alors, tu lui as demandé de te rencontrer ici ? a demandé Hunter d'un ton incrédule. Et il est venu ?

— Hum, hum. Et il m'a dit qu'il allait détruire notre assemblée si je ne me joignais pas à lui. Parce qu'il était trop dangereux de me laisser vivre si je n'étais pas de son côté. Parce que j'étais la... la, euh, *sgiùrs dàn* ? Quelque chose du genre. Alors, il m'a jeté un sortilège de ligotage...

— Un instant, m'a interrompue Hunter. Attends un instant. Il a dit que tu étais la *sgiùrs dàn* ?

Il a posé un regard interrogateur sur Ciaran, mais le visage de l'homme plus âgé n'a pas bougé.

— Oui. Et alors, il m'a jeté un sortilège de ligotage, et j'ai cru que j'allais mourir ici même, ce soir. Mais je l'ai distrait une seconde, ce qui a brisé sa concentration et m'a permis de *lui* lancer un sortilège de ligotage.

J'ai frotté mon front; je me sentais vieille et malade et fatiguée.

— Comment l'as-tu distrait? a demandé Hunter.

J'ai jeté un regard de biais vers monsieur Niall, qui s'était montré beaucoup trop silencieux jusqu'ici. Dans la pénombre de la nuit, il était si blanc de rage qu'il irradiait presque. Il se tenait avec raideur, les mains serrées en poings. Il semblait prêt à attaquer Ciaran à tout moment.

— J'ai créé une poche de vapeur sous l'écorce de cet arbre, ai-je expliqué en pointant le pin. Elle a fait éclater l'écorce à grand bruit, ce qui a distrait suffisamment Ciaran pour me permettre d'utiliser ma main et de parler.

— Qu'as-tu dit pour te sortir du sortilège de ligotage? a demandé monsieur Niall d'une voix dure.

— J'ai prononcé… son nom véritable.

Les trois derniers mots sont sortis de ma bouche sur la pointe des pieds. Je n'avais jamais dit à quiconque que je connaissais le nom véritable de Ciaran, et une partie de moi n'aimait pas le dire à ce moment.

Hunter a écarquillé les yeux, si bien que le blanc était visible partout autour de ses iris verts. Sa bouche est devenue béate, et il a penché la tête d'un côté.

— Morgan, tu as prononcé *quoi*?

— J'ai prononcé son nom véritable, ai-je répété. Puis, je l'ai obligé à retirer son sortilège de ligotage.

Le regard de Hunter et de monsieur Niall est passé de moi à Ciaran : ils se retrouvaient dans une situation qui défiait la raison. Les yeux de Ciaran avaient maintenant pris une teinte aussi noire que la nuit, et si on considérait qu'il était seulement capable de cligner des yeux, il avait réussi à y mettre une expression très effrayante.

— Puis, je lui ai jeté un sortilège de ligotage, ai-je conclu. Ensuite, je t'ai appelé. J'ignore quoi faire maintenant.

À ce moment-là, dans un cri rauque, monsieur Niall s'est rué sur Ciaran. Il a asséné Ciaran un coup d'épaule droit dans l'estomac pour ensuite le suivre sur le sol et lever le poing. Je m'approchais déjà d'eux quand le père de Hunter a décoché un coup de poing solide sur la tempe de Ciaran. Hunter les a rejoints avant moi et essayait de tirer son père, mais au final, il nous a fallu unir nos forces pour éloigner monsieur Niall.

— Papa, arrête, a haleté Hunter en clouant son père au sol d'un genou. Ce n'est ni le moment ni l'endroit. Recouvre ton sang-froid.

— Je vais le tuer, a craché monsieur Niall, ce qui m'a mise en colère.

— Non, vous n'allez pas le tuer! ai-je lâché. Je comprends ce que vous ressentez, mais ce n'est pas à vous de décider ce qui lui arrivera. C'est le travail du Conseil.

— Non, pas le Conseil, a dit Hunter en secouant la tête. Ses deux tentatives ont été un fiasco. Non, nous devons nous en occuper. Il faudra lui retirer ses pouvoirs.

Ciaran était couché sur le sol comme une momie. Il n'avait pas réellement eu de réaction quand monsieur Niall l'avait attaqué, mais à présent, devant les mots de Hunter, la peur s'est glissée dans ses yeux. J'avais vu une sorcière perdre ses pouvoirs et j'avais espéré ne jamais en être de nouveau témoin. J'avais des haut-le-cœur à l'idée de voir Ciaran passer par là. Pourtant, je savais, de façon réaliste, qu'il n'y avait d'autre solution. Si nous laissions Ciaran filer, il resterait exactement le même. Il continuerait de créer des vagues sombres, de tuer ceux qui se mettraient en travers de son chemin. Il demeurerait toujours une menace pour moi, peu importe les promesses que je tirerais de lui. J'ai croisé son regard une autre fois et j'y ai vu la déception, la rage, le regret. J'ai détourné les yeux.

— Ouais, tu as raison, ai-je dit durement en luttant contre les larmes. Je suppose qu'il faudra réunir cinq sorcières.

— Nous sommes déjà trois, a indiqué Hunter.

S'il était surpris que je donne mon aval, il ne l'a pas montré.

— Je suis incapable de le faire, ai-je immédiatement dit. Trouve quelqu'un d'autre.

Hunter a retiré son genou de la poitrine de son père pour l'aider prudemment à se lever. Monsieur Niall s'est lentement remis debout pour aller s'appuyer contre une pierre tombale usée par les intempéries. Hunter est demeuré immobile quelques minutes, et je savais qu'il envoyait des messages de sorcière. Sans regarder son visage, je suis allée aider Ciaran à s'asseoir en le positionnant de façon maladroite. Il y avait tant de choses que je voulais lui dire, que j'avais besoin de lui dire, mais j'étais incapable de parler. Dans mon cœur, je savais que nous faisions ce qui était le mieux. Après l'avoir assis, je me suis laissée tomber sur un banc en ciment à proximité pour me concentrer sur le sortilège de ligotage.

Puis, nous avons dû attendre. Hunter est venu s'asseoir à mes côtés. J'avais l'impression d'être là depuis près de trois ans et je voulais rentrer à la maison, me rouler en boule sous mon édredon et pleurer jusqu'à l'aube.

— Morgan, a dit Hunter d'un ton que j'étais la seule à entendre, tu ne m'as jamais dit que tu connaissais le nom véritable de Ciaran.

C'était un énoncé et non une question, mais je savais ce qu'il voulait.

— Je l'ai appris la nuit où nous nous sommes métamorphosés, ai-je dit. Son nom faisait partie du sortilège. J'ignore pourquoi je ne l'ai dit à personne. Cela me semblait... mal.

— Ou peut-être ne voulais-tu pas que Ciaran soit aussi vulnérable devant quelqu'un d'autre. Car peu importe qui d'autre il est, il a contribué à te créer.

J'ai froncé les sourcils. Je ne voulais pas reconnaître ce fait pour le moment.

— Pendant tout ce temps, tu connaissais son nom véritable, a continué Hunter en se frottant le menton. Tu aurais pu en faire ce que tu voulais. Le tuer, le contrôler, le livrer au Conseil ou à moi. Tu aurais pu le ligoter et effectuer un *tàth meànma brach* pour mettre la main sur toutes ses connaissances et compétences.

J'ai secoué la tête.

— Non, je n'aurais rien pu faire de tout cela. J'aurais été incapable de le tuer et, d'une manière ou de l'autre, je continuais d'espérer qu'il serait... différent. Et je ne souhaite pas posséder ses connaissances ou ses compétences. Je ne veux rien savoir de celles-ci.

Hunter a hoché la tête. Il était assis près de moi sans me toucher, et je me suis demandé à quel point il était fâché que je lui aie caché cette information.

Peu de temps après, nous avons entendu deux voitures approcher, et bientôt, Alyce Fernbrake, Bethany Malone et une femme que je ne reconnaissais pas nous ont rejoints.

— Où est Finn? a demandé Hunter.

— Il ne pouvait pas venir, a lancé Alyce.

À son ton, j'ai eu l'impression qu'il ne voulait tout simplement pas venir. J'étais incapable de le blâmer.

— Je vous présente Silver Hennessy.

Nous avons procédé aux présentations avec malaise. Nous savions tous pourquoi nous étions là : il était assis à quelques mètres de nous. J'ai commencé à avoir la nausée et j'ai dû me rasseoir.

— Plus de cinq sorcières peuvent participer au rituel, m'a dit Hunter. Cinq n'est que le nombre minimal.

— Je ne peux pas, ai-je répété, et il n'a pas insisté.

Exécuter ce rituel dans les bois sans préavis n'était pas l'idéal. Normalement, la sorcière responsable choisissait un moment et un endroit opportuns afin que la phase lunaire limite l'inconfort ou que le lieu soit plus sécuritaire. En raison de sa nature, Ciaran ne pouvait être tenu prisonnier très longtemps. Il fallait effectuer le sortilège tout de suite.

Hunter avait apporté son athamé avec lequel il dessinait à présent sur le sol un pentacle d'une largeur d'environ deux mètres et demi. La litière de feuilles cachait le sol, mais il a murmuré quelques mots avant de lever haut son athamé. Puis, il l'a glissé sur le sol, et celui-ci a laissé une ligne azur fine et légèrement brillante.

J'étais incapable de regarder Ciaran, de voir la rage et la panique grandir sur son visage. Je me suis plutôt blottie sur mon banc de ciment, la tête posée sur les genoux. Je savais qu'utiliser son nom véritable était la chose à faire. Je savais aussi que je me sentirais mal de l'avoir fait pendant très, très longtemps. Bethany Malone et Alyce sont toutes deux venues s'asseoir à mes côtés, et j'ai senti leur chaleur contre mes flancs. Bethany a glissé un bras autour de mes épaules pendant qu'Alyce tapotait mon genou froid. J'ai posé la tête sur l'épaule d'Alyce, reconnaissante de sa présence. Je ne connaissais pas Silver Hennessy, mais j'avais pleinement confiance en Bethany et Alyce, et je savais que Ciaran était chanceux que ce soit elles qui effectuent ce rite.

Monsieur Niall se tenait près de Hunter comme pour s'assurer qu'il préparait le rite correctement. De temps à autre, ils échangeaient des paroles en murmures. Monsieur Niall refusait de regarder Ciaran ou moi, mais je sentais qu'il essayait de relâcher une partie de sa fureur et de sa souffrance. Il aurait besoin d'un esprit clair pour participer à ce rituel.

Bientôt, Alyce a quitté mes côtés pour aller s'asseoir près de Ciaran en compagnie de Silver. Alyce devait être la personne la plus douce et la moins empreinte de jugements que j'avais jamais connue, mais le regard qu'elle a posé sur Ciaran était réservé et triste. Je savais que Ciaran devait avoir mal partout et sentir une raideur extrême, mais je ne pouvais pas amoindrir le sortilège de ligotage. Et tout ceci n'était rien devant la douleur qu'il ressentirait dans une heure. Pas qu'il ne le méritait pas. J'entendais parfois un grognement âpre dans mon esprit, comme celui d'un animal capturé qui tentait de se libérer. Il s'agissait de Ciaran qui tentait de se frayer un chemin à travers le sortilège de ligotage.

Assise là, à me souvenir de la dernière fois où j'avais été témoin de ce rituel, j'ai compris qu'il me fallait planifier quoi faire de Ciaran par la suite. J'ai quitté Bethany pour aller trouver Hunter et attendre qu'il prenne une pause et croise mon regard.

— Je pense que je devrais appeler Killian pour qu'il vienne le chercher, ai-je dit à voix basse. Aucun d'entre nous ne voudra prendre soin de lui quand ce sera terminé.

Pendant un long moment, Hunter a gardé les yeux rivés sur moi avant de hocher la tête.

— Tu as raison, Morgan. Peux-tu lui envoyer un message?

J'ai hoché la tête avant de reprendre place sur le banc aux côtés de Bethany, d'où je me suis concentrée pour envoyer un message de sorcière à mon demi-frère, Killian MacEwan, le seul des autres enfants de Ciaran que j'avais rencontré. Malgré nos grandes différences, nous avions forgé une relation aimante, en quelque sorte. J'ai présumé qu'elle serait détruite après ce soir.

Quand Killian m'a répondu, il se trouvait à Poughkeepsie, à environ une heure et demie de là. Je lui ai demandé de venir tout de suite à Widow's Vale et que c'était important, sans lui dire pourquoi. Il a répondu qu'il viendrait, et j'espère qu'il disait la vérité.

Enfin, Hunter s'est levé.

— Bien, je pense que nous pouvons commencer.

Bethany m'a serré l'épaule et m'a brièvement caressé les cheveux avant de se joindre à Hunter, Alyce et Silver, qui soulevaient Ciaran pour l'amener au milieu du pentacle. Monsieur Niall s'est tenu à distance : je me suis demandé s'il craignait de ne pouvoir s'approcher de Ciaran sans l'attaquer. Les quatre sorcières ont plié le corps de Ciaran qui n'opposait aucune résistance afin qu'il s'agenouille sur le sol, les bras posés le long de son corps. Puis, Hunter a glissé les mains sur Ciaran pour lui ôter tout objet en métal et ses chaussures, en plus de dénouer son collet et ses manchettes. Il procédait rapidement et de façon efficace, mais sans rudesse. J'ai vu un petit muscle remuer dans la joue de Ciaran. Sans crier gare, j'ai ressenti une douleur soudaine et fulgurante dans mon esprit. J'ai poussé un cri et j'ai appuyé une main contre ma tempe. J'ai entendu Hunter crier et j'ai senti un éclair de panique dans l'air qui m'entourait. En un instant, j'ai compris qu'il s'agissait de Ciaran qui tentait de se libérer. Sans regarder, j'ai brandi la main en chantant le nom véritable de Ciaran. La douleur dans ma tête s'est amoindrie, et quand j'ai levé les yeux, j'ai vu Ciaran étalé sur le flanc, immobile sur le sol. Il avait presque réussi. Il s'était presque libéré.

Hunter m'a jeté un regard interrogateur.

J'ai hoché la tête.

— Je l'ai, ai-je dit en tremblant et en frottant ma tête où je sentais une douleur sourde.

— D'accord. Recommençons, a déclaré Hunter, et encore une fois, les femmes ont replacé Ciaran en position agenouillée.

Je savais que si je n'étais parvenue à freiner Ciaran aussi rapidement, nous serions tous morts à présent.

Puis, Hunter s'est tenu au sommet du pentacle pendant que les quatre autres se disposaient sur les autres pointes. Ils ont fermé les yeux, ont baissé la tête, et chacun d'entre eux s'est concentré à se détendre, à laisser aller ses émotions, à relâcher toute colère en lui. Après plusieurs minutes, Hunter a levé la tête, et j'ai vu qu'il avait revêtu sa personnalité d'investigateur : il n'était plus seulement la personne que j'aimais.

— Est, sud, ouest et nord, a-t-il commencé, nous faisons appel à vos gardiens pour nous aider à effectuer ce triste rituel. Déesse et Dieu, nous invoquons vos noms, vos esprits et vos pouvoirs ici, ce soir, pour nous permettre d'agir au nom de la justice et de la compassion. Ici, sous la pleine lune du premier et dernier mois de l'année, nous nous sommes réunis pour reprendre à Ciaran MacEwan sa magye et ses pouvoirs afin de le punir des crimes qu'il a commis contre des humains et des sorcières ; des femmes, des hommes et des enfants. Alyce de Starlocket, es-tu d'accord ?

— Oui, a dit Alyce d'un ton faible.

— Bethany de Starlocket, es-tu d'accord ?

— Oui.

Sa voix était plus assurée.

— Silver de Starlocket, es-tu d'accord ?

— Oui.

— Daniel de Turloch-eigh, es-tu d'accord ?

— Oui.

Sa voix était râpeuse.

— Il ne s'éveillera plus jamais dans la peau d'une sorcière, a dit Hunter.

Silver, Alyce, Bethany et Daniel ont tous les quatre répété :

— Il ne s'éveillera plus jamais dans la peau d'une sorcière.

— Il ne connaîtra plus jamais la beauté et la terreur de votre pouvoir, a dit Hunter, et ils ont répété ses paroles.

Elles ont fait écho dans mon esprit pendant que je me berçais sur le banc en ciment froid.

— Il ne fera plus jamais de mal à un être vivant.

— Il ne fera plus jamais partie des nôtres.

— Ciaran MacEwan, nous nous sommes réunis, au nom des sorcières de partout, pour porter un jugement sur toi. Tu as fait appel à la vague sombre, tu es responsable de morts innombrables, tu as pris part à d'autres rites des ténèbres qui sont odieux pour ceux qui suivent la Déesse. Ce soir, tu perdras tes pouvoirs. Le comprends-tu ?

Aucune réponse n'est venue de Ciaran, mais la sensation sourde de déchirement dans mon esprit a augmenté d'intensité. J'ai élevé la voix depuis là où j'étais assise.

— Il essaie de briser le sortilège de ligotage, ai-je dit.

— Renforce-le, a gentiment dit Hunter, et j'ai fermé les yeux pour faire ce qu'il me demandait.

Lorsque Hunter avait retiré les pouvoirs de David Redstone, Sky avait utilisé les battements d'un tambour pour guider notre énergie. Ce soir-là, les cinq sorcières se sont mises à chanter, d'abord une, puis une autre, et ont maintenu la cadence par le battement rythmique de leurs pieds sur le sol. La voix de Hunter était plus profonde et rauque que celles des femmes ; la voix de monsieur Niall était plus claire et faible. Tout le monde paraissait triste. Leurs voix se sont mêlées et entrecroisées, mais plutôt que de se transformer dans un chant magnifique et vivifiant pour invoquer le pouvoir auquel j'étais habituée, elles ont abouti sur un chant rude, lugubre et plus cacophonique. J'ai senti l'énergie qui s'élevait dans l'air autour de moi ; j'ai eu la chair de poule et mes cheveux étaient chargés d'électricité statique. Je sentais que tous les oiseaux et les animaux avaient quitté cet endroit. Comment les blâmer ?

Quand j'ai baissé les yeux, j'ai vu que l'étoile, le pentagramme, commençait à briller d'une lumière blanche : leur énergie. Je savais ce qui s'en venait, et mon estomac s'est serré. J'ai remonté les genoux pour les serrer contre mon corps et j'ai senti que je porterais à jamais les cicatrices de cette nuit. Comme Ciaran.

Le chant a brusquement pris fin, et Hunter s'est penché pour toucher les lignes blanches d'énergie avec son athamé. Le couteau a projeté un bref éclat, et quand Hunter l'a levé, il a semblé tirer un film d'un blanc bleuté, semblable à de la fumée ou à de la barbe à papa. Hunter a lentement fait le tour du pentacle pour enlacer la lumière autour de Ciaran, comme s'il était

l'œil d'une lente et magnifique tornade.
Quand la lumière s'est élevée jusqu'au-
dessus de la tête de Ciaran, Hunter m'a
lancé un regard perçant.

— Retire le sortilège de ligotage.

En priant pour qu'il sache ce qu'il faisait, j'ai libéré mon père. En moins d'une
seconde, il a bondi sur ses pieds, rugissant
comme un animal torturé, et tout aussi
rapidement, il a percuté la barrière de
lumière pour s'effondrer comme une chose
inerte sur le sol, où il s'est couché sur son
flanc. Il pouvait bouger à présent, et ses
mains ont agrippé ses vêtements et ses cheveux. Ses pieds nus remuaient de façon
convulsive, et il s'est replié comme un
escargot pour tenter d'éviter tout contact
avec la lumière. Ses yeux étaient fermés, sa
bouche remuait sans émettre de son.

Un sanglot a fait éruption du plus profond de moi, suivi d'un autre et d'un autre.
Comme je n'avais plus à me concentrer à
maintenir le sortilège, mes émotions se
sont libérées, et j'étais si ébranlée et bouleversée que je ne ressentais plus d'embarras.
À travers mes larmes, j'ai aperçu des traces

scintillantes sur le visage d'Alyce et de Bethany. Silver affichait une tristesse profonde. Monsieur Niall paraissait calme et concentré. Hunter avait un air sombre, résolu, exempt de colère ou de haine. Il continuait de chanter doucement seul et faisait vriller l'énergie autour de Ciaran, de façon lente et complète. Quand il a finalement retiré son athamé, l'énergie s'est enroulée sans aide.

C'est alors que les images ont commencé à s'afficher ; les images qui définissaient qui Ciaran avait été et qui il était devenu. J'ai regardé à travers un voile de larmes, le corps tremblant sous les sanglots. J'ai vu un beau garçon heureux courir dans un champ vert de l'Écosse avec un cerf-volant. Le cerf-volant plongeait vers le sol, et, d'un mouvement rapide de la main, Ciaran l'a renvoyé vers les nuages. J'ai vu un Ciaran de quatorze ans passer par son initiation, revêtu d'une robe sombre, presque noire, mouchetée de fils argentés. Il avait un air très solennel, et j'avais l'impression de voir dans ses yeux un aperçu de la sorcière qu'il allait devenir. Ciaran a vieilli dans les visions, et nous avons aperçu un adolescent flirter avec les filles, travailler sur des sortilèges, avoir des disputes avec un homme qui devait être son père, mon grand-père. Puis, à mon étonnement, j'ai vu Ciaran, adolescent, avec une jeune Selene Belltower l'espace d'un instant. J'ai cligné des yeux pour voir Ciaran qui épousait Grania, dont le ventre était déjà arrondi par son premier enfant, Kyle. Mon souffle s'est arrêté et des sanglots se sont pris dans ma gorge quand j'ai aperçu Ciaran avec une femme que je reconnaissais comme étant Maeve Riordan, ma mère biologique. Maeve et Ciaran se serraient fort l'un contre l'autre, s'agrippaient comme si la séparation équivaudrait à la mort. Puis, Maeve pleurait en se détournant de lui, et Ciaran la regardait partir, les poings serrés. J'ai vu la silhouette sombre de Ciaran et, en arrière-plan, une grange en flammes. Et elles se sont enchaînées, ces images nées de l'énergie qui flottaient vers le ciel pour disparaître dans le néant. Sur le sol, Ciaran se secouait comme s'il avait une attaque, et j'ai entendu le faible son d'une mélopée funèbre qui s'échappait de lui.

Les images sont alors devenues plus sombres, et j'ai frémi quand j'ai vu Ciaran exécuter des sacrifices d'êtres vivants, puis user de sortilèges contre d'autres sorcières qui se sont tordues de douleur devant lui. J'ai eu la nausée quand je l'ai aperçu faire appel à la vague sombre et quand j'ai vu l'exultation sur son visage devant la gloire de ce pouvoir pendant que, devant lui, des villages entiers étaient décimés et leurs habitants tentaient inutilement de fuir. C'en était trop, et j'ai fermé les yeux avant de poser la tête sur mes genoux.

Quand j'ai relevé les yeux, j'ai vu Ciaran et moi nous étreindre. Je nous ai vus nous transformer en loups, et même d'où je me tenais, j'ai senti la surprise d'Alyce et de Silver. Puis, les images ont affiché les évènements de ce soir, le moment où j'avais employé son nom véritable et où il avait été ligoté. Quand la dernière image a flotté au loin et qu'aucune autre ne l'a suivie, j'ai su que nous avions vu sa vie se dénouer devant nous et la destruction de tout ce qui avait fait de lui la personne qu'il était.

Mon père biologique était immobile sur le sol froid de mars. Hunter a brandi son athamé, et lentement, l'énergie tourbillonnante l'a encerclé et a semblé être absorbée par le couteau. Quand la dernière parcelle d'énergie s'est dissipée, Hunter a rengainé son couteau pour aller se tenir au-dessus de Ciaran.

— Ciaran MacEwan, sorcière des Woodbane, n'existe plus, a dit Hunter. La Déesse nous apprend que toute fin est aussi un commencement. Puisse-t-il y avoir une renaissance dans cette mort.

Le rituel a pris fin avec ces mots.

Quand David avait perdu ses pouvoirs, Hunter lui avait apporté un thé guérisseur et Alyce l'avait tenu dans ses bras pendant qu'il pleurait. Je savais que personne ne ferait de même pour Ciaran. J'aurais voulu m'asseoir près de lui, mais je me sentais trop coupable. Puis, Alyce, cette femme aux formes arrondies, vêtue de lavande et de gris comme à l'habitude, s'est agenouillée sur le sol près de l'endroit où Ciaran était couché en boule.

Hunter est venu s'asseoir près de moi sur le banc de ciment en prenant soin de ne pas me toucher. Il semblait plus âgé que ses dix-neuf ans et avait l'air d'avoir combattu une longue maladie.

Bethany s'est penchée pour toucher la tempe de Ciaran une fois avant de venir vers moi pour répéter le même geste. J'ai senti sa bienveillance, sa sollicitude, puis elle a disparu dans les bois. Silver Hennessy est venue serrer la main de Hunter avant de partir à son tour en jetant un regard compatissant de mon côté.

Monsieur Niall s'est lentement dirigé vers nous.

— J'y vais, mon fils, a-t-il dit d'une voix étrange et rauque. Bon travail.

J'ai fixé le sol d'un regard de pierre.

— Morgan, a-t-il dit en me prenant par surprise. C'était une tâche difficile, mais tu as bien fait.

Je n'ai pas levé les yeux pour le voir s'éloigner.

Alyce est restée auprès de Ciaran, et Hunter est demeuré à mes côtés. Nous gardions tous le silence. Il était passé quatre heures, et j'ai eu l'impression que je n'allais plus jamais dormir, manger ou rire.

Nous sommes restés assis dans l'obscurité pendant une autre heure jusqu'à ce que nous entendions Killian se frayer un chemin dans la forêt pour apparaître entre les cèdres et les pins.

— Hé, sœurette, a-t-il dit d'un ton joyeux, et de toute évidence, il avait bu.

Génial, lui qui avait pris le volant depuis Poughkeepsie. Il a ignoré Hunter, ce qui était habituel.

— Killian, ai-je murmuré.

J'ignorais quoi lui dire : aucun mot ne convenait à la situation. J'ai esquissé un geste du côté de Ciaran, couché sur le sol.

Si mon vrai père, Sean Rowlands, était couché sur le sol dans les bois au milieu de la nuit, j'aurais immédiatement accouru à ses côtés. Mais Killian n'était pas moi, et Ciaran n'avait rien à voir avec mon vrai père, alors Killian s'est contenté de le fixer du regard.

— Qu'est-il arrivé ? a-t-il demandé.

— Amyranth a jeté des sortilèges de vague sombre, ai-je dit sans expression. Ciaran voulait que je me joigne à Amyranth et lui. J'ai refusé. Alors, il a décidé de lancer la vague sombre sur Kithic. Je l'ai rencontré ici ce soir, puis un groupe de cinq sorcières lui a retiré ses pouvoirs.

Killian a écarquillé les yeux de façon quasi comique. Il ne trouvait rien à demander ou à dire : il se contentait de promener son regard étonné de moi à Hunter et à Ciaran.

— Non, a-t-il dit enfin, et toute trace d'alcool avait disparu de sa voix. Il n'a aucun pouvoir ? En es-tu certaine ?

— Nous en sommes certains, a dit Hunter sans aucune fierté dans la voix.

— Tu as ôté ses pouvoirs à papa. Ciaran MacEwan.

Je comprenais pourquoi il éprouvait de la difficulté à accepter ce fait. Ciaran avait semblé invincible… sauf pour la personne qui connaissait son nom véritable.

— Je t'en prie, peux-tu l'amener à un endroit sécuritaire afin qu'il reprenne des forces?

Killian semblait toujours incertain de comprendre la réalité.

— Oui, a-t-il dit d'un ton hésitant. Oui, je connais un endroit.

— Je vais t'aider à l'amener à ta voiture, a dit Hunter. Surveille-le de près. Il sera très faible pendant un moment, mais quand il sera capable de bouger, il pourrait tenter… de se faire du mal.

— Oui, a dit Killian, qui assimilait lentement la signification des paroles de Hunter.

Il m'a rapidement jeté un regard par-dessus son épaule avant de se diriger vers le père qu'il avait craint et respecté. Alyce s'est tassée pour lui faire de la place. Killian a posé une main sur l'épaule de Ciaran et a tressailli quand il a aperçu son visage. J'ai détourné le regard. Puis, Hunter et Killian ont disparu dans les bois en soutenant Ciaran entre eux.

Alyce s'est lentement levée pour venir s'asseoir à mes côtés.

— C'était une tâche difficile, ma chère, a-t-elle dit.

— Ça fait mal, ai-je dit de façon insuffisante.

— Il faut que ce soit ainsi, Morgan, a-t-elle doucement dit en me frottant le dos. Si tu avais accompli cette tâche sans avoir mal, cela voudrait dire que tu es un monstre.

Comme Ciaran, ai-je pensé. Hunter est revenu, seul. Alyce a posé un baiser sur ma joue avant de repartir dans les bois d'où elle était venue. À présent que Hunter était mon seul témoin, j'ai cédé et fondu en larmes. Il s'est assis près de moi pour glisser ses bras solides et familiers autour de moi. Je me suis appuyée sur lui et j'ai sangloté jusqu'à m'en rendre malade. Et pourtant, la douleur demeurait en moi.

— Morgan, Morgan, a à peine murmuré Hunter. Je t'aime. Je t'aime. Tout ira bien.

J'ignorais comment il était capable de dire une telle chose.

12

Alisa

« La ligne est mince entre l'ombre et la lumière, entre la souffrance et le plaisir, entre la chaleur et le froid, entre l'amour et la haine, entre la vie et la mort, entre ce monde et l'autre. »

— Dicton populaire

Quand cinq heures ont sonné, j'étais totalement prête à céder à la panique. Où étaient donc partis Hunter et son père ? Pourquoi n'étaient-ils pas de retour ? L'aube allait se lever bientôt, et j'étais censée être à la maison ! D'une minute à l'autre, Hilary allait se lever pour faire son yoga matinal. Éventuellement, elle remarquerait mon absence.

Je faisais les cent pas dans la maison, trop inquiète et bouleversée pour ressentir la fatigue, et ce, même si mon corps avait l'impression d'être debout depuis des jours. Devrais-je appeler un taxi? Un instant... je me trouvais à Widow's Vale. Il n'y avait aucun service de taxi à cinq heures le matin. Il faudrait que je réveille quelqu'un pour qu'on vienne me prendre. Quelle poisse!

J'essayais de décider si je devais me mettre en route en pied quand j'ai entendu des pas lourds sur le porche avant. J'ai pratiquement volé vers la porte, juste à temps pour voir Hunter et monsieur Niall entrer. On aurait dit que quelqu'un leur avait pompé tout leur sang durant leur absence.

— Est-ce que ça va? ai-je lâché. Qu'est-ce qui ne va pas? Où étiez-vous?

Hunter a hoché la tête et tapoté le dos de son père avant que monsieur Niall passe devant nous pour monter lentement à l'étage d'un pas sans vie.

— Je suis désolé, Alisa, a dit Hunter. Je n'avais aucune idée que nous serions partis si longtemps. Dois-tu rentrer à la maison?

— Oui... mais qu'est-il arrivé ? Tu vas bien ?

— Ça va. Morgan attend dehors : elle va te reconduire chez toi.

— Morgan ?

Il a hoché la tête en se frottant le visage et en appuyant doucement ses mains sur ses yeux.

— Oui. Ce soir, Morgan a rencontré Ciaran MacEwan — nous t'avons déjà parlé de lui — au puits de pouvoir. Tu sais, le vieux cimetière méthodiste en bordure de la ville. Les choses ont pris une tournure étrange, et Morgan a fini par lui jeter un sortilège de ligotage. Elle nous a appelés, papa et moi, et nous sommes allés la rejoindre et, après avoir réuni d'autres sorcières, nous avons ôté ses pouvoirs à Ciaran.

Je l'ai fixé du regard.

— Vous venez d'ôter les pouvoirs de Ciaran ? Il y a un moment ?

— Oui. Ça a été très difficile... Ciaran détenait une puissance incroyable et il nous a opposé une forte résistance.

L'expérience a été particulièrement difficile pour Morgan.

J'arrivais à peine à tout saisir.

— Qu'est-ce que ça signifie en ce qui a trait à la vague sombre ?

Hunter m'a fait un sourire ironique, et je voyais bien que tout ce qu'il voulait était de sombrer dans son lit pour dormir pendant un an.

— Je présume qu'il n'y aura pas de vague sombre à présent, a-t-il dit. On dirait bien que tu t'en tires à bon compte. Tu n'auras plus à te torturer avec ce sortilège.

Il a fallu un moment pour que je comprenne bien ses paroles.

— Je n'arrive pas à croire que tout est terminé, ai-je dit en prenant mon manteau.

J'avais travaillé si fort... Nous avions tous travaillé fort. Et tout ça pour rien. Je veux dire, j'étais heureuse qu'aucune vague sombre n'approche, mais en même temps, j'avais presque eu hâte de voir comment je m'en tirerais. Tu parles d'une égocentrique.

Mon niveau d'adrénaline a commencé à baisser et, soudain, j'étais à peine capable de mettre un pied devant l'autre pour gagner la porte d'entrée. Je me suis tournée vers Hunter, qui avait le teint pâle et les traits tirés sous la lumière crue du plafonnier du salon.

— Était-ce très difficile?

Il a hoché la tête et baissé les yeux sur le parquet de bois marqué.

— C'était très difficile.

— À bientôt, ai-je dit à voix basse. Prends soin de toi.

J'ai doucement refermé la porte derrière moi pour traverser le porche et gagner la rue, où Morgan m'attendait à bord de sa grosse voiture. Hunter et son père avaient eu un air terrible. J'aurais aimé pouvoir faire quelque chose pour eux. Peut-être que je pourrais leur apporter quelque chose plus tard. Qu'est-ce qui serait bon en pareille situation? Un bouillon de poulet?

La portière était déverrouillée et le moteur était toujours en marche quand je suis montée à bord de la voiture. J'ai regardé Morgan.

— Allô, ai-je dit doucement. Il semblerait que vous ayez eu une nuit difficile.

Elle a légèrement incliné la tête avant d'embrayer la voiture et de se mettre en route. Je lui ai jeté un autre regard à la dérobée. Morgan adoptait normalement un look plutôt naturel, sans trop d'artifices, mais ce soir-là, elle avait un air terrible. L'air d'une personne qui venait réellement de vivre un enfer.

— Je suis désolée, Morgan, ai-je dit. Je suis désolée que tu aies vécu une nuit aussi difficile et je suis désolée d'avoir mal agi envers toi au cours des deux derniers mois. J'aimerais… j'aimerais pouvoir t'aider d'une manière quelconque.

Elle a regardé de mon côté, et le jet pâle d'un lampadaire a coupé son visage en deux. Les coins de sa bouche se sont courbés légèrement en signe de reconnaissance, puis nous avons tourné dans ma rue. Elle s'est arrêtée à quelques maisons de chez moi et m'a regardée avec l'air d'une personne qui anticipe quelque chose, comme si elle attendait que je sorte de la voiture.

— Hum, devrais-je sortir ici ? ai-je demandé en empoignant mon sac à main.

Morgan a hoché la tête.

— Comme ça, ton père n'entendra pas la voiture.

— Ooooh.

C'est très sage, ai-je pensé.

— Tu es douée à ce jeu, ai-je dit avec admiration, et elle a émis un petit rire qui rappelait un verre qui se brise.

J'ai ouvert la portière en faisant le moins de bruit possible et j'ai posé le pied dans la rue silencieuse. Quand je me suis retournée pour lui murmurer un merci, j'ai vu que le visage de Morgan brillait de larmes.

— Je suis désolée, ai-je chuchoté.

Je ne trouvais rien de mieux à dire. Elle a fait un petit hochement de tête avant d'embrayer la voiture. Elle a fait demi-tour très lentement pour prendre la direction de sa maison.

L'air du matin était lourd et calme alors que je marchais vers chez moi. Il s'agissait des derniers moments tranquilles avant le lever des gens matinaux. J'avais l'impression d'inspirer le sommeil paisible de ma famille, de mes voisins et de tous les habitants de la ville. Après avoir gagné ma chambre en silence, j'ai enlevé mes chaussures pour regarder un moment par la fenêtre. L'horizon commençait à peine à prendre une teinte rosée : le début d'une nouvelle journée.

Je me suis réveillée plus tard le même matin sans me soucier de savoir à quel point j'étais en retard pour l'école. Quand je suis descendue au rez-de-chaussée, Hilary a levé vers moi un regard surpris depuis le tapis de yoga qu'elle avait étendu sur le plancher du salon. Elle a jeté un coup d'œil vers l'horloge posée sur le manteau de la cheminée avant d'adopter une expression pensive.

— Nous sommes vendredi, n'est-ce pas ? Ne devrais-tu pas être à l'école ?

— Ouais, ai-je répondu prudemment en m'effondrant sur le divan.

— Es-tu retombée malade ou es-tu restée debout trop tard à parler à ton amie au téléphone ?

— Je suis retombée malade.

Elle s'est déroulée pour venir me voir.
Elle ne portait pas de maquillage et, d'une
certaine manière, elle paraissait à la fois
plus jeune et plus âgée que vingt-cinq ans.
Je me suis demandé pourquoi mon père
était si fou d'elle. Elle a tendu le bras pour
appuyer la main sur mon front.

— Hum. Eh bien, je devrais appeler
ton école.

— Merci, ai-je dit, moi qui ne m'attendais pas à sa collaboration.

Je n'avais jamais songé que ma future
belle-mère âgée de vingt-cinq ans avait
l'autorité pour faire ce genre de chose.

— Pourquoi ne retournes-tu pas au lit ?
As-tu besoin de quelque chose ?

— Non, merci.

Je me suis traînée jusqu'à ma chambre
pendant qu'elle composait le numéro de
l'école.

Quand je me suis réveillée plus tard, j'ai
entendu des pas légers dans le couloir.
Hilary a cogné à ma porte avant de l'ouvrir.

— Es-tu réveillée ?

— Hum, hum.

Les yeux ouverts constituent toujours un bon indice.

— L'heure du déjeuner est passée. As-tu faim?

J'ai réfléchi un moment.

— Hum, hum.

— Viens dans la cuisine et je vais te préparer de bons craquelins aux sardines, a-t-elle dit, et je l'ai toisée d'un air horrifié avant de remarquer le sourire malicieux sur son visage.

Je n'ai pu m'empêcher d'y répondre.

— Tu m'as eue.

Dans la cuisine, je me suis préparé un sandwich au beurre d'arachides et à la confiture et me suis versé un verre de jus avant de m'asseoir.

Hilary a pris place devant moi. J'ai poussé un soupir, mais j'ai essayé de l'étouffer dans le sandwich. Même si je ne voulais pas l'admettre, elle allait faire partie de ma vie. Et il en allait de même pour ma demi-sœur ou mon demi-frère. Alors, il valait probablement mieux que je fasse un effort afin de mieux m'entendre avec elle. Je devrais demander à mon médecin de me prescrire du Prozac. Ça aiderait certainement.

— Comment ça se passe à l'école? a-t-elle demandé en détruisant par le fait même mes bonnes intentions.

Je lui ai jeté un regard neutre.

— C'est le secondaire. C'est moche.

J'ai attendu qu'elle me réponde que le secondaire avait été les cinq meilleures années de sa vie, qu'elle avait été la capitaine des meneuses de claque…

— Ouais, le secondaire était moche pour moi aussi, a-t-elle dit, et ma bouche est devenue béate. Je détestais l'école. À mes yeux, c'était stupide et inutile. Je veux dire, j'aimais bien quelques cours quand les enseignants étaient bons. Et j'aimais bien voir mes amis. Mais je refuserais d'y retourner même si on me payait. Le secondaire semblait n'avoir rien à voir avec la vraie vie.

Elle était sur une lancée. J'ai regardé cette nouvelle Hilary avec fascination tout en mastiquant mon sandwich.

— Tu sais ce qu'est la vraie vie? a-t-elle enchaîné. C'est de savoir comment rendre la monnaie. Savoir qu'à peu près tout est classé en ordre alphabétique. Ça, c'est la vraie vie.

— Et l'hypothèque, l'assurance-vie, l'entretien paysager et tout ? ai-je demandé.

— Tu apprends ça par l'expérience pratique. On n'enseigne pas ces trucs à l'école, de toute façon. L'université, c'est une autre histoire, je dois l'admettre. L'université, c'était cool. Tu contrôles ce que tu veux étudier et à quel moment. Tu choisis d'aller ou non en classe, et personne ne t'embête. J'ai adooooré l'université. J'ai suivi une panoplie de cours de littérature et d'arts et d'autres sujets amusants comme les études féminines et la comparaison entre les religions.

— Quel diplôme as-tu obtenu ?

— Un diplôme de base en arts libéraux : un baccalauréat. Rien d'utile pour se trouver un emploi, a-t-elle affirmé en riant. Il aurait été préférable que j'étudie pour devenir comptable.

Elle a levé les bras au-dessus de sa tête et s'est étirée.

— Voilà pourquoi j'effectue de la transcription médicale depuis la maison. Il faut savoir écouter, lire et taper à la machine. Et je choisis mon horaire, le salaire n'est pas si mal, et je pourrai travailler quand le bébé sera né.

— Est-ce ce que tu fais à l'ordinateur la majorité du temps ?

J'avais toujours cru qu'elle rédigeait un roman d'amour ou qu'elle avait une liaison sur Internet ou un truc du genre.

— Ouais. Ce qui me rappelle que je dois m'y remettre. Tout de suite après *Vie et amour*. Tu veux regarder le feuilleton avec moi ?

— OK.

J'étais poussée à suivre cette nouvelle Hilary dont le corps était sûrement occupé par une entité étrangère. Je me suis demandé ce qui était advenu de la vraie Hilary, mais j'ai conclu que ça n'avait pas d'importance. Nous nous sommes assises sur le divan dans la salle familiale, et elle m'a raconté les grandes lignes de son feuilleton préféré.

Je l'ai écouté sans réfléchir en profitant de cette heure qui s'écoulait ; une heure durant laquelle je n'avais pas à songer à la magye, aux sorcières, aux objets qui se brisaient et aux vagues sombres. J'ai jeté un coup d'œil à la ronde, à Hilary, et j'ai songé au moment où papa rentrait à la maison. Son visage s'illuminait toujours quand il apercevait Hilary et moi. C'était cool. Dieu merci, ils n'allaient pas être anéantis par la magye d'un moment à l'autre.

13

Morgan

« Ce qu'il y a avec la magye est que parfois, elle prend un certain aspect, mais en réalité, elle est une chose bien différente. »
— Saffy Reese, New York, 2001

J'ai dormi toute la journée, mais quand je me suis éveillée à dix-sept heures, je me sentais aussi mal en point que lorsque je m'étais mise au lit. J'ai entendu Mary K. passer la porte de la salle de bain et je me suis assise pour la voir.

— Est-ce que ça va ? a-t-elle demandé d'un air préoccupé. As-tu passé la journée au lit ?

J'ai hoché la tête.

— Je vais me lever et aller sous la douche.

— C'est la grippe ou quoi? Alisa était malade et elle est restée à la maison aujourd'hui, elle aussi.

— Je présume qu'un virus circule, ai-je dit sans conviction.

J'ignorais ce qu'Alisa avait dit à ma sœur (si elle lui avait dit quoi que ce soit) et je ne voulais pas tout bousiller.

— Eh bien, descends si tu veux dîner. Nous aurons des petits steaks et des pommes de terre au four. Et tante Eileen et Paula se joindront à nous.

J'ai hoché la tête avant de me traîner vers la salle de bain, où j'ai fermé les deux portes. Je me sentais lourde et loin d'être reposée; savoir ce que j'avais fait la nuit dernière pesait sur mes épaules. Ma famille allait partager un de mes repas préférés, et j'aimais toujours voir ma tante et sa petite amie. Mais à ce moment-là, mon estomac bouillonnait à l'idée d'avaler quoi que ce soit et je n'avais envie de parler à personne. Peut-être allais-je retourner au lit après ma douche.

J'ai ouvert l'eau au plus haut degré de chaleur que je pouvais supporter et je l'ai laissée couler sur ma nuque et mes épaules. Je me suis mise à pleurer silencieusement en prenant appui contre le mur de la douche, les yeux fermés devant les éclaboussements d'eau. Oh, Déesse, ai-je pensé. Déesse. Aide-moi à passer à travers cette épreuve. Qu'ai-je fait?

J'avais sauvé la vie de ma famille, de mes amis, de mon assemblée.

Au détriment de celle de mon père.

J'avais vu Ciaran après le rituel. Il semblait mort. Et je le connaissais assez bien pour savoir que vivre sans magye allait certainement le rendre dément. J'avais entendu dire qu'une sorcière qui vivait sans magye était comme une personne vivant une demi-existence, dans un monde où les couleurs étaient grises, les odeurs étaient ternes et les saveurs étaient pratiquement inexistantes. Un monde où on avait l'impression que ses mains étaient recouvertes de gants de plastique, si bien qu'en touchant les objets, on ne pouvait sentir leur texture, leurs vibrations.

Voilà ce que j'avais fait à mon père la veille.

Il avait assassiné ma mère. Il avait tué des centaines de personnes, tant des sorcières que des humains. Des femmes, des hommes, des enfants. Les mots exacts de Hunter.

Je ne croyais pas que Ciaran resterait en vie bien longtemps. À ce que je savais, il n'existait aucun rituel pour lui redonner sa magye : elle lui avait été arrachée à tout jamais. Et sans magye, je ne croyais pas que Ciaran trouverait que la vie en valait la peine.

À présent, il était pratiquement inoffensif, et la vague sombre n'allait pas venir. Pas cette fois-ci. J'espérais me sentir mieux bientôt, physiquement ou émotionnellement. J'accepterais l'un ou l'autre. Mon esprit saignait de douleur, de culpabilité et de soulagement, et mon corps me donnait l'impression d'avoir dégringolé sur des rochers, encore et encore et encore.

J'ai regagné le lit après ma douche.

Il a fallu peu de temps avant que maman ne monte à l'étage. Elle s'est assise avec soin sur le côté de mon lit et a tâté mon front.

— Tu ne sembles pas avoir de fièvre, mais tu as l'air malade.

— Merci.

— As-tu mal au ventre ?

— Non.

J'ai seulement mal à l'âme.

— OK. Et si je te préparais un plateau ?

J'ai hoché la tête en refoulant les larmes. Maman portait toujours sa tenue professionnelle et elle semblait fatiguée. J'étais presque une adulte, avec mes dix-sept ans, et pourtant, tout ce que je désirais à ce moment-là était que maman s'occupe de moi, assure ma sécurité. Je ne voulais plus jamais quitter ce lit ou cette maison.

Après le départ de maman, tante Eileen et Paula sont entrées dans ma chambre. Paula s'était complètement remise de son terrible accident à la patinoire et elle avait repris le travail.

— Tu as eu un gros examen à l'école aujourd'hui ? a demandé tante Eileen avec un sourire.

— Oh, femme de peu de foi.

Paula s'est approchée pour me toucher le nez.

— Tu vas bien.

— Ha, ha, répliquai-je.

Elle est vétérinaire.

— Tu ressembles à une morte-vivante, a dit ma tante préférée. As-tu besoin de quoi que ce soit ? Tu veux que nous t'apportions quelque chose ?

J'ai secoué la tête, et maman est alors revenue avec un plateau. J'ai regardé la nourriture coupée en petits morceaux et j'ai fondu en larmes.

— Morgan, tu te sens assez bien pour parler au téléphone ? a demandé Mary K. une heure plus tard. C'est Hunter.

J'ai hoché la tête et elle m'a apporté le téléphone sans fil.

— Allô, mon amour, a-t-il dit, et mon cœur m'a fait mal. Comment vas-tu ?

— Pas super bien. Et toi ?

— Foutrement mal. As-tu réussi à dormir aujourd'hui ?

— J'ai dormi, mais ça n'a aidé en rien.

Il y a eu un moment de silence, et j'ai su ce qui s'en venait.

— Morgan… J'aurais aimé que tu me dises que tu connaissais son nom véritable. Je croyais que nous avions confiance l'un en l'autre.

Subitement, j'ai ressenti une pointe d'agacement.

— Si tu es en rogne, dis-le-moi. N'essaie pas de me faire sentir coupable au sujet de mes décisions.

— Je n'essaie pas de te faire sentir coupable, a-t-il dit d'un ton plus fort. Je croyais seulement que la confiance et l'honnêteté totales régnaient entre nous.

— Comme la confiance que j'avais en toi quand tu es allé au Canada ?

Il y a eu un long silence.

— Je suppose que nous avons encore quelques kilomètres à franchir.

— Je suppose que oui.

J'étais bouleversée par ce que ses paroles impliquaient, pour nous deux.

— Eh bien, je veux y travailler, a-t-il dit, ce qui m'a prise par surprise. Je veux que nous nous rapprochions, que nous gagnions une confiance mutuelle, que nous soyons en mesure de compter l'un sur l'autre davantage que sur quiconque. Je *veux* qu'une confiance et une honnêteté totales règnent entre nous. C'est ce que je souhaite pour nous.

Tu es la perfection même, ai-je pensé en me calmant immédiatement.

— C'est ce que je souhaite, moi aussi.

Pendant un moment, j'ai savouré la lumière qu'apportait Hunter dans ma vie.

— C'est seulement que… il est mon père. J'étais probablement la seule personne au monde à connaître son nom véritable, à l'exception de lui. Et il savait que je le possédais. J'avais l'impression de devoir le garder secret au cas où j'en aurais besoin, que ce soit pour moi ou pour toi. Pas pour le Conseil.

— Il savait que tu connaissais son nom véritable ?

— Il devait le savoir. Je l'ai utilisé le soir où… nous nous sommes métamorphosés, pour l'arrêter. Voilà pourquoi il a disparu même si ce qu'il désirait réellement était de te tuer, de me tuer ou de nous tuer tous les deux.

— Pourtant, il est venu à ta rencontre au puits de pouvoir.

— Je suppose qu'il avait confiance en moi ou qu'il était convaincu d'être plus fort que moi.

J'ai émis un rire cassant.

— Il *était* plus fort que moi. Bien plus fort. Mais il n'aurait pas dû me faire confiance.

Des larmes chaudes sont tombées de mes yeux pour rouler sur mes joues.

— Morgan, tu sais que tu as fait la bonne chose, pas seulement pour toi, moi et les autres qu'il aurait pu blesser, mais aussi pour Ciaran. Chaque geste maléfique qu'il posait allait lui revenir par trois fois. Tu as empêché que le retour du balancier soit encore plus terrible.

— C'est une façon de voir les choses, ai-je dit. Je ne sais pas. Rien n'est noir ou blanc. Les décisions n'ont jamais la pureté du cristal.

— Non. Ce que tu as fait hier soir n'était pas bon à cent pour cent, mais ce n'était certainement pas mal à cent pour cent. Mais, dans l'ensemble, ta décision contenait plus de bien que de mal. Dans l'ensemble, tu as honoré la Déesse beaucoup plus que tu ne l'as déshonorée. Et parfois, c'est la meilleure chose à laquelle nous pouvons aspirer.

— J'aimerais te voir, ai-je dit en sentant que ses mots apaisants lissaient les côtés plus déchirants en moi. Mais je suis une épave et je suis certaine que maman ne me laisserait pas sortir parce que j'ai passé la journée au lit.

— Contente-toi de te reposer, a déclaré Hunter. Nous nous verrons demain. J'aimerais m'éloigner d'ici, dans la mesure du possible. Papa me rend fou. Il devient cinglé parce que je ne veux plus rien avoir à faire avec le Conseil.

— Quoi ? Que veux-tu dire ?

— Je n'ai plus confiance en ses membres. Je ne peux leur prêter foi. Je ne peux plus faire ce qu'ils me demandent simplement parce qu'ils me le demandent. Je ne peux plus me tourner vers eux pour obtenir leur protection. Non seulement n'ont-ils aucune utilité dans ma vie, mais ils représentent aussi un danger pour moi. Et pour toi. Et pour papa, même s'il ne voit pas les choses sous cet angle.

— Peux-tu cesser d'être un investigateur? Est-ce permis?

Hunter a émis un rire bref.

— Cela n'arrive pas fréquemment, tu peux en être sûre. Je n'en ai pas encore parlé officiellement à quiconque. Papa essaie encore de me convaincre de ne pas le faire. Mais dans mon cœur, je sais que c'est ce que je veux faire.

J'étais stupéfaite. Je savais que Hunter était de plus en plus insatisfait par rapport au Conseil, mais je n'aurais jamais cru qu'il cesserait d'être un investigateur. Être investigateur faisait partie de lui et décrivait une grande part de qui il était.

— Holà, ai-je lancé. Si tu n'es plus un investigateur, que feras-tu?

— Je ne sais pas, a-t-il admis. Je n'ai jamais rien fait d'autre, et le Conseil est le seul organisme à avoir besoin d'investigateurs. Il faudra que j'y réfléchisse. Mais qu'en penses-*tu*, de mon idée de démissionner?

— Je pense que tu dois faire ce qui te semble nécessaire, ai-je dit. Tu peux faire tout ce que tu veux. Je t'aiderai, peu importe ce que tu fais.

— Oh, Morgan, cela signifie tant pour moi, a-t-il indiqué d'un ton soulagé. Tu n'as pas idée. Si tu m'appuies, j'affronterai n'importe qui.

Il a marqué une pause.

— Le Conseil ne voudra pas accepter ma démission, a-t-il expliqué.

— Je sais. Reparlons-en demain, en personne, ai-je dit. Ceci pourrait être une bonne chose. Cela pourrait être très excitant. Je veux regarder vers l'avenir plutôt que de redouter chaque petite chose dans le présent.

— Je suis d'accord avec toi sur ce point, a déclaré Hunter. Pour le moment, je vais essayer d'éviter papa. Déesse, comme les pères peuvent causer des emmerdements.

— Tu as bien raison, ai-je dit d'un ton sec et ironique.

— À demain, mon amour.

— À demain.

— Morgan, peut-être te sentirais-tu mieux si tu avalais un vrai petit déjeuner, a suggéré Mary K., qui était assise devant moi à la table.

J'ai levé mes yeux brumeux. Je commençais à croire que j'avais peut-être réellement la grippe. Je me sentais toujours horrible : j'avais mal jusqu'à la moelle, un mal de tête carabiné et une nausée qui subsistait. J'étais descendue d'un pas chancelant à la cuisine pour me servir un cola et profiter de ses propriétés médicinales, et je me sentais légèrement mieux.

— Le cola apaise mon estomac.

— Il reste du gruau. Il contient des raisins secs.

Mary K. a pris une bonne bouchée de sa banane en me jetant un regard pétillant. C'était sa façon d'être. Elle ne se forçait même pas pour être ainsi. Ce matin-là, même si elle n'avait pas encore pris une douche, elle semblait fraîche et propre avec sa peau parfaite et ses cheveux brillants. Je n'étais pas encore passée sous la douche et j'avais une tête à faire peur aux petits enfants.

— Non, merci. Où sont papa et maman?

— Papa est au sous-sol, occupé à rebâtir sa carte mère. Maman avait des maisons à faire visiter. Et je pars chez Jaycee, dès que tu pourras m'y conduire.

Elle m'a fait un sourire affecté en battant des cils, et j'ai ri malgré moi.

— OK. Donne-moi la chance de me ressaisir.

Une heure plus tard, je l'ai déposée chez Jaycee avant de faire demi-tour et de filer vers la maison de Hunter. La douche m'avait donné un coup de pouce, puis j'avais avalé un médicament contre le mal de tête. J'avalais maintenant un deuxième cola et une rôtie dans la voiture en espérant que l'un ou l'autre de ces éléments allait bientôt faire effet.

C'était beaucoup mieux, cependant, de pouvoir me diriger vers la porte d'entrée de chez Hunter sans jeter des coups d'œil par-dessus mon épaule. Je n'avais aucune idée à savoir si Amyranth allait reprendre le flambeau de Ciaran, mais j'avais l'impression que sa mission avait été purement personnelle. Elle n'avait peut-être aucune importance pour les membres de son assemblée.

La porte d'entrée s'est ouverte.

— Allô, a dit Hunter.

J'ai cligné des yeux quand je l'ai aperçu.

— Te sens-tu encore mal ? Tu as un air terrible.

Il a frotté sa mâchoire non rasée. Contrairement aux cheveux sur sa tête, qui avaient la couleur du soleil, sa barbe était sombre, tout comme les poils sur son torse. Auxquels j'allais cesser de penser maintenant.

Il a haussé les épaules, et je suis passée devant lui en prenant automatiquement la direction du foyer dans le salon. J'ai retiré mon manteau pour m'affaisser sur le divan en étirant les pieds vers les flammes. La maison avait une odeur plaisante de propreté et de fumée. Le feu possédait d'excellentes propriétés de purification.

— Je pense me sentir mieux qu'hier, a-t-il dit en prenant place à mes côtés de façon à ce que nos jambes se touchent.

Peut-être qu'il faut attendre un certain temps. Je n'ai jamais été à proximité d'une vague sombre alors je l'ignore.

J'ai posé la tête sur son épaule et j'ai frissonné au contact de sa chaleur.

— Peut-être n'as-tu pas assez bu de thé? ai-je demandé d'un air sérieux.

— Tout un esprit que tu as là.

Il a glissé un bras autour de moi, et nous nous sommes blottis l'un contre l'autre en profitant de cette proximité.

— Où est ton père?

Je vous en prie, soyez parti. Je vous en prie, ne revenez pas avant la fin de la journée.

— Il fait des courses. Il n'y a rien à manger à la maison, car nous avons été quelque peu occupés au cours des derniers jours.

J'ai poussé contre l'épaule de Hunter pour qu'il tombe sur le côté.

— Parfait.

— Bonne idée, a-t-il dit en se glissant sur le divan et me tirant vers lui.

Puis, nous nous sommes retrouvés couchés face à face sur le divan, serrés l'un contre l'autre, et mon dos grillait agréablement devant le feu.

Nous avons émis simultanément des bruits de contentement avant d'éclater de rire. Malheureusement, je n'avais pas envie d'échanger des baisers passionnés, alors nous nous sommes contentés de nous serrer fort en sentant une partie de notre douleur disparaître au contact chaud de l'autre. Déesse, si seulement je pouvais rester couchée là pour toujours. Hunter caressait distraitement mon dos, nos yeux étaient fermés, mes bras entouraient sa taille, et le fait que l'un d'entre eux soit écrasé sous son poids ne me dérangeait pas.

— Jeudi a été une journée terrible, ai-je murmuré contre sa poitrine. Je ne pense pas pouvoir un jour m'en remettre. Peu importe le bien que j'accomplissais, je sais que j'ai trahi mon père. Et même s'il était maléfique, il y avait quelque chose en lui que j'avais l'impression de connaître ; une bonté qui remontait de loin. C'était la partie de lui que j'aimais.

— Je comprends.

Le souffle chaud de Hunter a fait remuer mes cheveux.

— La seule chose qui t'aidera à te sentir mieux est le temps. Donne-toi du temps. Je te promets qu'un jour, cela te fera moins mal.

J'ai senti que des larmes se formaient derrière mes paupières, mais je ne voulais pas les laisser couler. J'en avais marre des larmes, de la souffrance. Je voulais rester couchée là où je me sentais en sécurité, aimée et au chaud.

— Hummm, ai-je fait en me rapprochant de lui. Cette sensation est géniale. J'en avais besoin.

Peu de temps a passé avant que nous sentions le père de Hunter arriver, et nous nous sommes rassis comme si nous avions discuté du temps qu'il faisait pendant tout ce temps. Je suis certaine que monsieur Niall n'était pas dupe.

Hunter l'a aidé à transporter les emplettes dans la cuisine. Quand j'ai vu le visage de monsieur Niall, j'ai eu l'impression que son teint était plus gris et qu'il paraissait plus vieux que d'habitude, ce qui n'était pas peu dire. Cependant, quand il m'a aperçue, il a hoché la tête et m'a dit :

— Allô, Morgan. J'espère que tu te sens mieux.

Ainsi, il s'était adouci à mon contact. Peut-être devrais-je rédiger un article à l'intention d'un magazine pour adolescentes sur la façon de gagner la confiance des parents de son petit ami ? Mais j'ai supposé que la plupart des filles faisaient face à des circonstances bien différentes.

— Qu'est-ce qu'il y a là-dedans ? a demandé Hunter, les bras chargés. Cela pèse une tonne.

— Je pensais que tu étais *fort*, a dit monsieur Niall d'un ton narquois, et j'ai sourcillé.

— Je suis fort : j'ignore pourquoi on vend des poids de plomb à l'épicerie, voilà tout.

Ils ont continué à se chamailler dans la cuisine, et cela s'est poursuivi de plus belle quand ils en sont sortis. J'ai froncé les sourcils et je me suis mise à réfléchir. Puis, j'ai jeté un coup d'œil du côté du cactus de Noël en pot, placé près de la fenêtre. Il était en fleurs la semaine passée. Il était maintenant mort. Mon cœur s'est serré et j'ai senti une vague de froid me gagner. Oh non. Oh non. Je me suis levée pour avancer vers eux et les observer de plus près.

— Qu'est-ce qu'il y a, Morgan? a demandé Hunter.

— Je... nous nous sentons tous horriblement mal. Vous vous disputez. Cette plante est morte.

J'étais trop bouleversée pour parler de façon sensée, mais ils ont tout compris en moins d'un instant.

— Oh, Déesse, a soufflé Hunter.

— Bien sûr, a dit monsieur Niall en secouant la tête. Je savais que quelque chose n'allait pas, mais je n'arrivais pas à dire ce que c'était. Mais tu as raison. Je le sais bien.

Hunter a marmonné un mot que je n'avais pas le droit d'employer.

— Tu n'as que trop raison, a-t-il dit. La vague sombre approche toujours. Soit

Ciaran l'a lancée avant de venir te voir, soit Amyranth poursuit son œuvre sans lui.

— Appelle Alisa, a dit monsieur Niall d'un air sombre.

14

Alisa

« Je vois un jour où toutes les sorcières de partout seront unies sous une même doctrine, pour une même cause. Je vois des Woodbane partout, à l'abri des préjugés. Je vois nos détracteurs, nos persécuteurs, nos ennemis ne plus présenter une menace. Je vois un grand clan, et non sept, dont tous les membres sont des frères et sœurs Woodbane. Il s'agit de ma vision et du but que je poursuis. »

— X, chef d'Amyranth,
Londres, 2002

Chaque fois que je jetais un coup d'œil dehors, le temps semblait plus sombre, plus menaçant. Monsieur Niall avait allumé la radio dans la cuisine et, de temps à autre, nous entendions les faibles échos d'un bulletin météorologique. On annonçait une mauvaise tempête printanière hâtive et on affirmait à quel point c'était inhabituel. Les animateurs blaguaient sur le fait que mars rugissait toujours comme un lion. Ha, ha. Tout ça paraissait si irréel. Comment était-il possible que la vie poursuive son cours quand la mienne pouvait se terminer d'une minute à l'autre ?

Concentre-toi, me suis-je ordonné. Concentre-toi. OK, la troisième forme : les caractéristiques du sortilège. Cette partie était difficile, pas aussi difficile que la deuxième, mais plus difficile que la première et la quatrième. En faisant face à l'est, j'ai commencé à me mouvoir dans le motif conçu avec soin pour définir et clarifier le sortilège. À mes côtés, comme s'il était mon partenaire dans un numéro de patinage artistique, monsieur Niall a esquissé les mêmes mouvements.

— Les paroles, a marmonné Hunter.

Morgan et lui étaient assis sur le sol, dos appuyés contre le mur. Près de six heures étaient passées depuis le moment où Hunter m'avait téléphoné pour me dire que la vague sombre était toujours en route. Depuis, je me démenais pour comprendre : Quoi ? En route ? Maintenant ? Il était difficile de me concentrer de nouveau sur la vague sombre, et nous n'avions presque plus de temps en comptant tous les exercices que nous avions faits. C'était comme un jour de cauchemar, comme si j'allais m'éveiller à tout moment bien en sécurité dans mon lit. Mais au plus profond de ma moelle de sorcière, je savais que ça n'allait pas arriver.

Morgan avait posé la tête sur ses genoux comme si elle se sentait trop misérable pour bouger. On aurait qu'un camion avait roulé sur Hunter. Monsieur Niall tenait une débarbouillette avec laquelle il s'épongeait continuellement le front. Il avait le teint gris et la peau moite et devait s'asseoir toutes les quelques minutes.

— Oh, bien sûr, ai-je dit.

J'ai frotté mes tempes douloureuses en souhaitant avoir quelque chose à boire.

— *Nogac haill, bets carrein, hest farrill, mai nal nithrac, boc maigeer.*

J'ai prononcé les mots anciens dont je connaissais sommairement la signification en suivant de nouveau les pas qu'on m'avait enseignés. Mes mains ont esquissé des sigils et des runes dans les airs pendant que je décrivais avec exactitude ce que nous cherchions à accomplir avec ce sortilège ; la manière, le moment et le pourquoi. La troisième partie prenait normalement dix-sept minutes si je l'exécutais correctement.

— Non, lève les bras, a croassé monsieur Niall.

Son interruption a brisé ma concentration ; mes pieds ont chancelé et, tout à coup, j'ai perdu le rythme sans avoir aucune idée à quel stade du sortilège je me trouvais. J'ai fixé mes bras du regard (ils n'étaient pas levés) et, soudain, une vague de fatigue et de nausée m'a submergée.

— Tu fais du bon boulot, Alisa, a dit Hunter pendant que je me tenais là, indécise, à me frotter le front.

Sa voix était raide et plombée, comme si le simple fait de parler empirait son état.

— C'est seulement qu'il s'agit d'un sortilège d'une difficulté incroyable. Il *me* faudrait un bon mois pour l'apprendre.

— Ouais, mais tu comprendrais ce que tu dis et pourquoi. Je me contente de mémoriser les mots comme un perroquet.

— Un perroquet talentueux, a indiqué Morgan en essayant de sourire.

Monsieur Niall s'est penché lentement sur le plancher en bois où il s'est roulé en boule en gémissant. On aurait dit que quelqu'un l'avait vidé et avait retourné sa peau. Parmi nous quatre, il était celui touché le plus durement. J'ai tourné les yeux vers Hunter et j'ai croisé son regard : nous savions tous les deux que Daniel ne pourrait même pas prétendre à jeter ce sortilège. Trois heures étaient passées, et au cours de cette courte période, j'avais vu trois sorcières de sang se détériorer visiblement. Je commençais à me sentir plutôt mal moi-même : le mal de tête rendait la concentration difficile et mes genoux étaient flageolants.

— Je vais aller préparer du thé, a dit Morgan avant de se dérouler prudemment et se rendre dans la cuisine.

Hunter s'est levé pour se tenir à mes côtés.

— Ce sera à toi de jouer, a-t-il dit à voix basse afin que son père n'entende pas, et j'ai hoché la tête en souhaitant me trouver en Floride et les laisser se débrouiller avec ce problème.

— Je sais, ai-je répondu dans un murmure, mais je ne suis pas prête, Hunter... Tu le sais. Et si j'étais incapable de l'exécuter quand le moment sera venu? Ce que je veux dire est que je travaille fort, mais...

Ma voix a tremblé et s'est brisée, et j'ai passé une main devant mes yeux qui piquaient. Je refusais de pleurer et d'avoir l'air d'un bébé devant lui.

Morgan est revenue avec un plateau couvert de tasses. Elle s'est agenouillée devant monsieur Niall en renversant un peu de thé.

— Tenez, lui a-t-elle dit, buvez ceci.

Il s'est poussé en position assise avec un certain effort avant d'étirer une main osseuse vers la tasse.

— Merci, jeune fille.

Hunter et moi nous sommes assis sur le plancher. J'avais une soif incroyable et j'ai englouti une bonne partie du thé chaud et sucré. Morgan y avait versé une quantité additionnelle de sucre et de citron, et il avait un goût génial.

— La vague approche, a déclaré Hunter abruptement, et j'ai vu Morgan tressaillir. Alisa a fait un travail incroyable pour apprendre le sortilège, mais elle n'est pas prête. Personne ne pourrait l'être.

— Je l'exécuterai, a dit monsieur Niall.

— Impossible que tu réussisses, papa, a dit Hunter. Tu le sais et je le sais. La vague t'a déjà tellement affaibli, il faudra pratiquement que je te porte à la voiture en partant.

— Tu ne pourrais pas me porter..., a commencé monsieur Niall en affichant une étincelle de vie.

— Je vous en prie, a dit Morgan en levant la main. Ne perdons pas de temps. Qu'allons-nous *faire*?

— Je pense avoir une idée, a lentement dit Hunter.

— La sensation sera terrible, m'a avertie Hunter.

Mes cheveux étaient fouettés par le vent, comme ceux de Morgan. Dans un mouvement rapide, elle a enfoncé les siens à l'arrière de son manteau et j'ai imité son geste. Là, dans le vieux cimetière méthodiste, l'air paraissait bizarre, comme s'il appuyait réellement un poids sur nous : il était humide, mais froid. Nous nous tenions devant le puits de pouvoir à écouter Hunter expliquer son idée. Monsieur Niall avait baissé la tête et replié son corps sur lui-même.

— Comment appelles-tu ce truc déjà ? ai-je demandé.

Hunter a affiché un faible sourire.

— Un *tàth meànma*.

J'ai froncé les sourcils, toujours perplexe.

— Et pourquoi suis-je incapable d'établir un lien — ou peu importe comment ça s'appelle — directement avec monsieur Niall ?

Hunter a jeté un coup d'œil vers son père, qui semblait trop souffrir pour lui prêter son attention.

— Parce que mon père n'est pas assez fort, a-t-il dit d'une voix douce. Il ne détient pas assez de pouvoir en ce moment pour établir un lien avec toi tout en restant à une distance sécuritaire de la vague sombre. Morgan a assez de pouvoir pour lui et elle, essentiellement, et elle sera en mesure de maintenir le lien entre vous deux.

Il m'a regardée.

— Ça te semble logique ?

J'ai hoché la tête.

— Et, euh… pourquoi aurai-je mal ?

Pas que ça avait la moindre importance.

Morgan m'a fait un sourire léger.

— Avant d'effectuer un *tàth meànma* comme celui-ci, il est préférable d'effectuer des rituels de purification et un jeûne, de boire de la tisane, etc., a-t-elle expliqué. Ce n'est pas si important quand il s'agit d'un petit *tàth meànma*. Mais dans un cas comme celui-ci, cela aurait été préférable. Je vais me sentir mal aussi.

Elle a affiché une expression de douleur.

— Génial, ai-je dit avec un faible sourire. Et où te tiendras-tu ?

— Dans le champ de l'autre côté de la route, de l'autre côté du boisé. Je serai assez près pour maintenir le contact, mais assez loin, je l'espère, pour ne pas être touchée.

Un sanglot soudain a monté dans ma gorge, mais j'ai serré fort les lèvres. D'accord, nous allions essayer la grande idée de Hunter, mais au final, tout reposait sur mes épaules, et je suis loin d'être née pour être héroïne. J'avais travaillé aussi fort que possible, j'allais faire de mon mieux, mais ça ne suffirait peut-être pas. En réalité, si je ne remplissais pas ma mission, il était possible que nous nous soyons réunis là pour mourir. Il faudrait qu'Hilary se passe d'une bouquetière, après tout.

— OK, ai-je dit d'un ton qui s'efforçait de voiler ma terreur.

— Et Daniel se tiendra encore plus loin, de l'autre côté de Morgan, a expliqué Hunter. Il maintiendra le contact avec Morgan, Morgan demeurera en communication avec toi et toi, tu t'occuperas du sortilège. D'accord ?

— D'accord, ai-je dit sans le penser.

Voilà en quoi consistait l'idée de Hunter : j'allais effectuer le sortilège, mais mon esprit serait lié à celui de Morgan. Le sien serait lié à celui de monsieur Niall, qui lui dirait les paroles à prononcer afin qu'elle me les communique. Hunter allait rester à mes côtés, près du puits de pouvoir, pour observer mes mouvements et me guider. Il savait quoi faire, même s'il ne pouvait pas le faire lui-même.

Un vent glacial m'a giflé le visage à ce moment-là. J'ai levé les yeux et, à l'horizon, j'ai aperçu un nuage qui planait et semblait composé d'une fine cendre. Il bouillonnait, bouillait et roulait en direction de Widow's Vale comme une nuée d'insectes d'une taille incroyable.

Hunter a regardé le ciel puis son père qui semblait se décomposer.

— D'accord, tout le monde. Allons-y. La vague approche.

Pâle et tendue, Morgan s'est tenue devant moi. Nous avons posé les mains sur les épaules de l'autre. Lentement, nous nous sommes rapprochées jusqu'à ce que nos fronts se touchent. Celui de Morgan était glacé, froid et moite. Nous avions toutes les deux les cheveux longs, et à présent, le vent violent emmêlait des mèches de nos cheveux autour de nos têtes. J'ai eu partiellement conscience du départ de Hunter et de monsieur Niall, mais je savais que Hunter reviendrait. Puis, je me suis fermé les yeux pour me concentrer, comme on m'avait montré à le faire. En gros, je devais méditer et vider mon esprit pendant que Morgan s'occupait des tâches plus difficiles.

Debout là, avec le vent qui se faufilait sous mon manteau comme des glaçons, je me suis demandé quand le tout allait commencer. Alors, ma conscience a semblé clignoter, et j'ai senti une douleur pointue et délicate, comme si une griffe de métal serrait mon crâne. Au moment où je me disais que j'étais incapable d'en supporter davantage, Morgan est apparue, dans mon esprit.

— Détends-toi, m'a dit sa voix même si je savais que mes oreilles ne l'entendaient pas. Relâche tout. En ce moment, tu es en sécurité et tout est parfait. Laisse tout en toi se détendre. Fais tomber tes murs et laisse-moi entrer.

— Ça fait mal, ai-je dit en ayant l'impression d'être une poule mouillée.

— Je sais, a répondu Morgan. Je ressens la douleur aussi. Nous devons en faire fi.

J'ai songé à faire tomber mes murs et lentement, j'ai compris que Morgan et moi étions liées d'une certaine façon : je pouvais voir à l'intérieur d'elle et elle pouvait voir à l'intérieur de moi ; nous étions la même personne. J'en ai ressenti une allégresse inattendue : c'était magnifique, magyque, excitant. C'était une lumière dorée, entourée d'une couronne de douleur finement gravée. J'ai songé à l'ombre de la Lune quand elle passait devant le Soleil.

Puis, j'ai suivi Morgan plus profondément dans son esprit. Là, j'ai vu toutes ses connaissances de la magye, ses sentiments pour Hunter, tous les trucs qui concernaient Ciaran. J'ai senti que Morgan me guidait délibérément loin de ses pensées personnelles.

— Concentre-toi, a déclaré sa voix, à la fois douce et solide. Je vais partir maintenant, mais nous demeurerons liées. Bientôt, tu sentiras un faible lien avec monsieur Niall. Nous resterons avec toi pendant tout le sortilège. Tu seras en mesure de le faire. Tu auras le soutien dont tu as besoin. Tu es une sorcière belle et puissante et, avec ce sortilège, tu emprunteras une voie excitante.

Morgan ne parlait pas ainsi normalement, mais je ressentais qui elle était réellement, à l'intérieur. De l'extérieur, elle était quelque peu timide et difficile d'approche. À l'intérieur, elle était éclatante, puissante et ancienne.

— Concentre-toi, a fait sa voix.

J'ai ouvert lentement les yeux et j'ai senti que la nausée essayait de prendre le dessus. Je l'ai refoulée et j'ai essayé de l'oublier. Dehors, il fait presque aussi noir qu'au milieu de la nuit. La faible lumière qui persistait avait un aspect étrange, teintée d'une nuance verdâtre, comme le Soleil avant une éclipse. Des morceaux de feuilles de l'an dernier fouettaient le sol et tourbillonnaient au-dessus des pierres tombales. Rêveuse, détendue et stupidement confiante, j'ai aperçu Hunter revenir par le boisé. J'ai senti Morgan prendre conscience de sa présence à travers mes yeux ; son élan d'amour, de désir, d'incertitude. J'ai essayé de ne pas y faire attention.

Les yeux verts de Hunter paraissaient énormes avec leurs cernes sombres. Son visage était blanc et semblait avoir été sculpté dans le marbre : ses pommettes avaient un angle pointu et sa peau semblait tirée.

— Commence, a-t-il dit.

Être liée à Morgan provoquait une sensation incroyablement étrange en moi. Ça allait, pourvu que je n'y pense pas. Chaque fois que je m'en souvenais, je ressentais une autre poussée de douleur et de nausée.

Hunter m'a tendu un grand bol de sel à l'aide duquel j'ai tracé un cercle de protection sur le sol. Il m'a aidée en déposant des pierres de pouvoir et de protection tout autour du cercle. Puis, j'ai enfoncé les mains dans le sel pour en frotter sur ma peau. J'ai éparpillé le reste autour de moi. Hunter m'avait donné quatre bols nervurés en argent. L'un contenait de la terre et un autre, de l'eau. Un autre renfermait un petit feu que Morgan avait allumé afin qu'il ne soit pas éteint par le vent, et le dernier accueillait un morceau d'encens projetant une lueur orange. J'ai déposé ces gobelets à l'est, au sud, à l'ouest et au nord afin de représenter les quatre éléments. Monsieur Niall m'avait remis une montre en or que j'ai déposée au centre de mon cercle. Alors, j'étais prête à commencer la première partie. Elle allait prendre environ vingt minutes, si je l'effectuais correctement.

Au moment où je levais les bras, j'ai senti une faible présence : monsieur Niall. Dans mon esprit, il portait le nom de Maghach, alors que Morgan était tout simplement Morgan. Après m'être habituée à cette présence, j'ai pris une grande inspiration, l'ai relâchée et ai commencé.

— En ce jour, à cette heure, j'invoque la Déesse et Dieu, ai-je dit en levant les bras vers le ciel. Vous, qui êtes purs dans vos intentions, aidez-moi à réaliser ce sortilège. Par la terre et l'eau, le feu et l'air, renforcez ce sortilège. Par le printemps et l'été, l'automne et l'hiver, renforcez ce sortilège. Par les sorcières du passé et du présent, de mon sang et autres, renforcez ce sortilège. Aidez mon cœur à rester pur, ma confection à être joyeuse, mes mains à être assurées et solides, et mon esprit à s'ouvrir à votre sagesse.

À ce stade, je dessinais des runes et des sigils pour m'identifier à titre d'ouvrière du sortilège et d'identifier monsieur Niall à titre de créateur. J'ai indiqué le lieu, le moment de l'année, la phase lunaire, l'heure du jour. Puis, j'ai fait trois fois le tour du cercle dans le sens des aiguilles d'une montre en brandissant les bras.

« Je lance ce sortilège pour corriger un tort,
J'ai besoin de votre aide pour le rendre fort.

Aujourd'hui, nous nous unissons pour
guérir une lésion,
Nos voix s'élèveront en unisson.
Mon espoir est ancien, ma vision est sûre ;
Mon objectif est bon et pur.
Je suis votre servante et je vous redemande
D'avoir foi en la magye et d'apaiser la
tourmente. »

Suivait un simple chant de pouvoir, conçu pour invoquer les pouvoirs dont je disposais, de même que pour appeler la Déesse et Dieu. Chaque fois que je m'étais exercée chez Hunter, j'avais fait exploser quelque chose, si bien que j'ignorais ce qui se produirait à présent.

J'ai entendu la voix de Morgan dans mon esprit. *Alisa, tu te débrouilles si bien.*

J'ai dessiné d'autres sigils dans les airs et sur le sol. Monsieur Niall avait expliqué qu'ils formaient une sorte d'histoire décrivant rapidement qui il était, qui j'étais et ce que nous savions au sujet du puits de pouvoir. Puis, je me suis agenouillée. La première partie était terminée.

J'ai entendu Morgan me dire que la première partie avait été parfaite et de passer à la seconde. Je me suis levée et j'ai pris une autre respiration en tenant les bras contre mes flancs. J'avais conscience d'un vent froid et humide qui fouettait mes cheveux, je savais qu'il faisait un noir de charbon dehors, mais je prenais surtout conscience de la forme parfaite et agréable du sortilège concocté par Maghach. Dans mon esprit, je le voyais complété, couche par-dessus couche. Il fallait que je me concentre pour l'exécuter étape par étape.

La deuxième partie était la plus longue et la plus difficile. J'ai commencé à sentir l'angoisse monter en moi, comme si j'allais manquer de temps. Cette impression provenait soit de Morgan, soit de Maghach. J'ai rapidement entrepris la forme de la deuxième partie : les limites.

— Ce sortilège entrera en vigueur le trentième jour du premier mois du printemps, ai-je commencé d'une voix faible contre le vent. La lune est pleine et en décroissance. La durée du sortilège ne dépassera pas cinq minutes une fois qu'il sera activé. Il doit se limiter à ces frontières.

À ce stade, je m'agenouillais pour dessiner des sigils sur le sol, puis des runes pour identifier plus précisément l'emplacement exact, à plus ou moins trente mètres, où le sortilège prendrait vie. J'ai commencé à ressentir l'urgence et j'ai dessiné plus rapidement. Soudain, j'ai eu un trou de mémoire et j'ai fixé des yeux le sol et mes mains immobiles. Un autre sigil ? Une autre rune ? Sur le sol ? Dans les airs ? Dois-je me lever maintenant ? Une perle de sueur froide a roulé dans mon dos pendant que l'adrénaline envahissait mon corps. *Oh non, oh non, oh non.*

— Tyr, a fait la voix calme et assurée de Morgan dans mon esprit.

J'ai pratiquement pleuré de soulagement. J'ai esquissé Tyr sur le sol avec des mouvements vifs.

— Ur, a-t-elle enchaîné patiemment. Thorn, puis Yr. Enfin, le sigil de la bataille, dans les airs.

Oui, oui, ai-je songé en suivant ses instructions.

— Les sigils de la phase lunaire, m'a-t-elle ordonné gentiment.

Oui, je le sais maintenant. Je me suis remémoré à quel stade du sortilège je me trouvais. J'ai marché dans le cercle en suivant la forme d'une lune, puis j'ai dessiné son identité dans les airs.

— Le sortilège n'aura d'autre objectif que celui décrit ici, ai-je poursuivi. Il n'affectera aucun autre être que ceux décrits aux présentes. Il n'existera pas à perpétuité et n'entrera pas de nouveau en vigueur, à l'exception de la durée décrite aux présentes. Ce sortilège est conçu pour le bien, la sécurité, pour corriger un mal. Mon intention est pure. Je n'œuvre pas sous l'emprise de la colère, de la haine ou du jugement.

Et les directives ont continué. Les limites d'un sortilège représentent sa partie la plus importante, surtout en pareil cas.

Cette partie durait presque trente minutes. Je me suis déplacée aussi rapidement que possible tout en faisant preuve de précision et d'exactitude, sans sauter une étape. À trois autres reprises, j'ai oublié un passage et, chaque fois, la panique me submergeait jusqu'à ce que Morgan me guide vers la prochaine étape. Sa voix était tendue, mais aussi, incroyablement calme et rassurante. Je ne savais plus où Hunter se trouvait ou ce qu'il faisait. J'ai senti la faible présence de Maghach dans mon esprit. Parfois, je sentais le vent froid ou un poids lourd peser sur moi, ou je prenais conscience des feuilles qui tourbillonnaient autour de moi. Mais je suis demeurée au centre de mon cercle à exécuter le sortilège.

À la fin de la deuxième partie, je voulais me coucher pour pleurer. L'air même devenait mauvais et me nuisait comme si j'inhalais les vapeurs d'un poison. J'étais épuisée, j'avais la nausée et ma tête faisait horriblement mal. La troisième partie constituait la forme du sortilège en soi. La quatrième partie se ferait rapidement : l'allumage.

— Continue, Alisa, a dit Morgan, et une mince couche de glace s'était étalée sous son ton calme. Continue. Tu peux y arriver. Tu es forte. Tu le sais. À présent, énonce le sortilège en soi.

J'ai essuyé la sueur sur mon front avant de me tourner vers l'est.

— Avec ce sortilège, je crée une ouverture, un *bith dearc*, entre ce monde et l'autre monde, ai-je commencé d'une voix tremblante. Je crée une déchirure surnaturelle entre la vie et la mort, entre l'ombre et la lumière, entre le salut et la vengeance.

Et le sortilège s'est poursuivi, parfois en français, parfois en gaélique moderne (que j'avais bien mémorisé) et parfois en gaélique ancien (passages durant lesquels Morgan et Maghach devaient me guider pratiquement mot à mot). Je me suis déplacée dans mon cercle en créant des motifs, des couches de motifs, des couches descriptives, des couches d'intentions. J'ai esquissé des sigils dans les airs et sur le sol. J'ai dessiné des sigils sur moi et autour de moi. Je me suis soudain figée en apercevant le nuage noir ondulant et visqueux qui grondait dans notre direction. Il avait un air malade, teinté de vert, et il approchait si vite. J'en ai eu le souffle coupé. Oh mon

Dieu, il était réel et il était là, et j'allais mourir. Nous allions tous mourir.

Morgan s'est mise à me parler, mais j'étais incapable de bouger. Plus le nuage approchait, plus je me sentais malade et plus la voix de Morgan me paraissait tendue et faible. Je sentais à peine la présence de Maghach.

Tout est terminé, ai-je pensé. Je ne compléterai pas le sortilège à temps. J'ai jeté un regard fou à la ronde, à la recherche de Hunter, pour l'apercevoir courbé près d'une pierre tombale. Quand il a levé les yeux vers moi, on aurait dit qu'il avait vieilli de trente ans.

Il m'en restait tant à faire, et le nuage noir de destruction fondait presque sur nous. Dans mon esprit, la voix de Morgan m'a poussée et, comme un robot, j'ai entrepris la dernière section de la troisième partie en bougeant le plus vite possible. Tout mon corps tremblait. J'avais l'impression que j'allais vomir à tout moment et que je me tenais là, en gros, à attendre ma mort.

Le premier coup de mort, de ténèbres, se tenait à moins d'une vingtaine de mètres.

De mes mains tremblantes, j'ai esquissé un pentagramme inversé devant moi, dans les airs. J'avais terminé la troisième partie du sortilège.

— Allume-le! a crié Hunter d'une voix étranglée.

— Allume-le! a crié Morgan dans mon esprit.

Encore une fois, j'étais paralysée par la terreur qui provoquait en moi les tremblements, la stupidité et la maladie. La vague sombre allait bientôt nous balayer et elle me fascinait. Dans ses nuages bouillonnants et étouffants, j'apercevais les faibles contours de visages pincés, atrophiés, affamés et avides. J'ai senti le froid gagner mon corps. Chacun de ces visages avait été une personne comme moi, une personne qui avait affronté ce nuage terrible. C'était horrifiant. La chose la plus horrible que je n'avais jamais vue ou imaginée.

— Allume-le! Alisa! a hurlé Morgan.

Bêtifiée par la peur, j'ai chuchoté machinalement les mots qui mettraient en œuvre le sortilège, pour le meilleur et le pire. En tremblant si fort que j'arrivais à peine à me tenir debout, j'ai tendu les bras et craché :

— *Nal nithrac, cair na rith la, cair nith la !*

J'ai senti une énorme décharge d'énergie en moi : elle a paru partir du sol pour filer en moi et sortir du bout de mes doigts et du dessus de ma tête. Elle était à la fois chaleur, lumière, énergie et joie : mon pouvoir magyque. Et les visages étaient *là*, et l'air et la terre se sont déchirés devant moi, comme si le monde que je connaissais, la réalité était une peinture que quelqu'un avait tranchée. La montre en or que j'avais déposée sur le sol a explosé, et le coup m'a fait tomber à la renverse. Ma tête s'est cognée contre une pierre tombale en marbre. Des étincelles ont explosé dans ma tête douloureuse et j'ai hurlé. À quelques pas de là, j'ai vu la vague sombre plonger soudain dans la déchirure, le *bith dearc* que j'avais créé. Les visages fantômes de la vague ont affiché un air étonné, puis horrifié, puis enragé. Mais ils n'avaient aucun pouvoir sur le sortilège que j'avais jeté. Toute la vague a disparu dans la déchirure, sous mes yeux. Puis, ma vision s'est embrumée, et tout est devenu merveilleusement silencieux et sécuritaire ; noir et immobile.

— Oh mon Dieu, ai-je gémi en essayant de toucher l'arrière de ma tête. Oh mon Dieu, ça fait mal.

— Reste couchée sans bouger un moment, a fait la voix de Morgan.

J'ai cligné des yeux en l'apercevant. Elle était assise près de moi et semblait écraser de la mousse verte dans ses mains.

— J'ai mal à la tête, ai-je dit comme une petite enfant, puis je me suis souvenue de tout. Oh mon Dieu ! ai-je crié en essayant de m'asseoir pour être frappée immédiatement par la douleur. Morgan, qu'est-il arrivé ? Qu'est-il arrivé ?

Quand nos regards se sont croisés, j'ai compris qu'elle ne se trouvait plus dans mon esprit : elle était redevenue distincte, elle-même. J'ai vu tellement plus de choses dans ses yeux qu'auparavant. C'était comme si une femme sage et savante se trouvait dans le corps de Morgan, et les yeux de cette femme me disaient des choses que j'étais incapable de comprendre.

— Morgan ?

— Patience, a-t-elle dit avant de soulever doucement ma tête pour apposer sa pâte visqueuse là où elle faisait mal.

— Aïe !

— Tu te sentiras bientôt mieux, a-t-elle dit.

Une ombre est passée devant moi, et j'ai levé les yeux pour apercevoir Hunter. Il s'est accroupi près de moi, et Morgan a hoché la tête comme pour lui dire que j'allais m'en tirer.

— Tu as réussi, a déclaré Hunter d'une voix éreintée. Alisa, tu as réussi. Tu as exécuté le sortilège. Il a fonctionné. Tu nous as sauvés.

Sans crier gare, je me suis mise à pleurer, ce qui a augmenté la douleur dans ma tête. Morgan, qui m'avait toujours semblé un peu froide, a pris ma main et l'a tapotée ; ses yeux brillaient de larmes.

— Morgan a réussi, ai-je dit en essayant de tarir mes larmes. J'ai presque tout oublié. Elle m'a dit quoi faire.

— Le père de Hunter me disait quoi te dire, a-t-elle dit. C'était lui. Je n'étais que la messagère.

Elle semblait lessivée et fatiguée, et des brins d'herbe secs et des morceaux de feuilles s'étaient pris dans ses cheveux.

Je me suis levée très lentement pour m'apercevoir que les battements horribles dans ma tête avaient diminué.

— Où est monsieur Niall? ai-je demandé. Je ne sens plus sa présence.

— Il est là.

Hunter a pointé dans une direction. À environ cinq mètres de nous, le père de Hunter était agenouillé sur le sol.

— Il referme à jamais le *bith dearc*, a expliqué Hunter. Seulement celui-ci, bien sûr. Il y en aura toujours d'autres, et d'autres vagues sombres aussi. Mais, d'après nos ressources, nous sommes les premiers à avoir vaincu une vague sombre. Maintenant, nous pourrons enseigner aux autres à faire de même. À la même époque, l'an prochain, nous aurons peut-être mis fin à Amyranth pour de bon.

Morgan a fouillé son manteau pour en extirper un foulard pourpre qu'elle a attaché autour de ma tête.

— Quand tu arriveras chez toi, laisse ce truc en place pour environ deux heures. Puis, lave tes cheveux, m'a-t-elle indiqué. Ensuite, prends quelques pilules contre le mal de tête pour t'endormir comme une masse. Tu l'as bien mérité.

J'ai jeté un regard à la ronde.

— Je n'arrive pas à y croire, ai-je dit. Le sortilège a fonctionné. Nous sommes encore en vie. Tout le monde est encore en vie.

D'autres larmes ont roulé sur mes joues, et je les ai essuyées avec ma manche.

Morgan s'est appuyée contre Hunter, et il a passé un bras autour d'elle.

— J'ai utilisé mes pouvoirs, ai-je dit avec émerveillement.

— Tout à fait.

Un faible sourire s'est dessiné sur le visage de Morgan.

Nous nous sommes regardées un long moment, et je me suis rendu compte que Morgan et moi nous comprenions. Nous avions établi un lien. Nous étions des sorcières.

15

Morgan

« Le sortilège du Nal Nithrac est long et difficile, mais n'est pas impossible à exécuter. Bien que le sortilège puisse être brandi contre toute vague sombre, il faut s'assurer de son exactitude quant au lieu, à l'heure et aux gens impliqués. Comme il a été démontré dans le cas de Widow's Vale, inclure un objet qui porte les vibrations du créateur de la vague est fort utile, mais ce n'est pas toujours nécessaire. »

— Daniel Niall de Turloch-eigh

— Je n'arrive pas à croire que c'est terminé, a dit Hunter.

J'ai hoché la tête en lui adressant un faible sourire.

— Je souhaite uniquement que la vie redevienne normale, peu importe ce que ça signifie, ai-je dit.

J'ai étiré mes pieds vers le feu dans le salon de Hunter. Nous avions mis du temps à regagner nos voitures et à décider si nous étions ou non en état de conduire, mais à présent, nous nous reposions en buvant du cidre chaud et épicé.

— Vous avez tous été magnifiques, a indiqué le père de Hunter.

— Nous formons une belle équipe, a dit Hunter.

Alisa semblait ravie. Ce qui m'a rappelé de me lever pour vérifier la plaie à l'arrière de sa tête. Elle avait cessé de saigner une heure plus tôt et elle disait que sa blessure était moins douloureuse. Je lui avais remis de l'arnica des montagnes à prendre toutes les six heures pendant deux jours et je savais qu'elle guérirait rapidement.

— J'ai hâte que d'autres sorcières apprennent ce sortilège, ai-je dit. Pendant si longtemps, nous ne disposions d'aucune défense contre une vague sombre. Maintenant, si. C'est tout comme si vous aviez fait la découverte de la pénicilline, Monsieur Niall.

— Je t'en prie, appelle-moi Daniel, a-t-il dit, ou Maghach.

La Déesse soit louée, ai-je pensé. Il m'acceptait enfin. D'ailleurs, ma langue fourchait quand je disais « monsieur Niall » et, après tout, nous étions déjà passés par un *tàth meànma*.

— J'espère que le sortilège fonctionnera en d'autres lieux, le cas échéant, a indiqué Daniel. Pourvu que les précisions et les limites soient modifiées en conséquence. Mais en effet, il s'agit d'une nouvelle merveilleuse pour toute la communauté des sorcières.

— Je n'arrive toujours pas à me remettre de cette sensation, quand j'ai senti le pouvoir passer par moi, a dit Alisa. C'était… vraiment…

— Indescriptible, ai-je complété, et elle a hoché la tête.

— Dans un sens positif, a-t-elle ajouté.

— Bien, a indiqué Hunter. À présent, nous devrons commencer ton apprentissage. Mais d'abord, je suis affamé. J'ai l'impression de ne pas avoir mangé depuis une semaine.

— J'ai faim aussi, a dit Daniel.

— Une pizza serait délicieuse, a suggéré Alisa.

— Ouais, nous pourrions...

Je me suis interrompue, haletante, en regardant l'horloge sur le manteau de la cheminée.

— Oh non, je suis archi en retard ! ai-je lancé en me levant en titubant.

J'avais la sensation de me remettre d'une grippe, mais je savais que mon état s'améliorait, ce qui rendait le tout acceptable.

— Maman va me tuer... c'est mon deuxième retard en une semaine.

Quand j'ai levé les yeux, trois paires d'yeux me regardaient d'un air amusé.

— Quoi ? ai-je dit.

— Tu as sauvé tous les membres de Kithic, a déclaré Alisa en ricanant.

— Et tu t'inquiètes d'arriver en retard pour le dîner ? a demandé Hunter.

— Aimerais-tu que j'appelle tes parents ? m'a offert Daniel. Je pourrais leur expliquer pourquoi ton retard était inévitable.

Nous avons tous éclaté de rire, et j'ai secoué la tête.

— Je dois vraiment rentrer, ai-je dit. Mais je vous reverrai bientôt.

J'ai enfilé mon manteau, et Hunter m'a accompagnée jusqu'au porche avant.

— Ça ira pour rentrer à la maison ? a-t-il demandé en glissant les bras autour de moi pour me serrer fort.

— Ouais, ai-je répondu en me blottissant plus près. Nous l'avons réellement arrêtée. Nous avons arrêté la vague sombre.

— Oui, c'est vrai.

De sa main, il a caressé mes cheveux, qui contenaient toujours des brins d'herbe.

J'ai levé les yeux vers lui.

— Maintenant, nous pouvons nous tourner vers l'avenir. Comme décider quoi faire si tu quittes le Conseil. Et savoir si nous allons un jour passer du temps *seuls tous les deux*, ai-je dit d'un ton éloquent, et il a fait un grand sourire.

— Ouais, nous devons en parler bientôt.

Nous nous sommes embrassés pour nous dire au revoir, et je me suis dirigée vers Das Boot. La vague sombre n'existait plus. Ciaran ne présentait plus une menace ni pour moi ni pour quiconque et, un jour, j'espérais accepter la manière dont cela était devenu possible. Hunter et moi songions à notre avenir... ensemble.

Quand je me suis garée dans ma cour et que j'ai lentement franchi notre allée, je me sentais anormalement légère et libre. L'humidité et la lourdeur avaient été chassées de l'air. J'avais presque envie de sautiller.

Puis, mes yeux se sont baissés vers le sol. Je me suis agenouillée pour y regarder de plus près et quand je les ai vus, j'ai émis un petit rire joyeux.

Les crocus de ma mère, d'un pourpre et d'un jaune éclatants, étaient miraculeusement revenus à la vie.